OCHR TREFORYS O'R DRE
Atgofion drwy Ganeuon

OCHR TREFORYS O'R DRE

Atgofion drwy Ganeuon

Neil Rosser

Gol: Lyn Ebenezer

Gwasg Carreg Gwalch

Argraffiad cyntaf: 2020
Hawlfraint y caneuon a'r testun: Neil Rosser
Hawlfraint y gyfrol: Gwasg Carreg Gwalch 2020

Rhif Llyfr Safonol Rhyngwladol:
978-1-84527-772-7

CYNGOR LLYFRAU CYMRU

Cyhoeddwyd gyda chymorth Cyngor Llyfrau Cymru

Darlun y clawr: gan Nick Holly,
comisiwn Gareth Richards ar gyfer apêl Eisteddfod Genedlaethol 2006
instagram: welshlowry;
Facebook: Nick Holly Studio Gallery
Capel Ebeneser: Joanna Jones, Cyfres Capeli Cwm Tawe;
Lluniau'r bandiau: C. J. Reynolds, Ann Lenny, Betsan Evans, Elen Williams.
Dylunio'r clawr: Eleri Owen

Cyhoeddwyd gan Wasg Carreg Gwalch,
12 Iard yr Orsaf, Llanrwst, Dyffryn Conwy, Cymru LL26 0EH.
Ffôn: 01492 642031
e-bost: llyfrau@carreg-gwalch.cymru
lle ar y we: www.carreg-gwalch.cymru

Argraffwyd a chyhoeddwyd yng Nghymru

Cyflwynedig i
Eldeg, Gwyn ac Aled

'Ma'r pethe fi'n gweud, yn 'neud ti edrych yn syn
Ni dal i ddeall ein gilydd i'r dim.'
Y ferch o Port

Diolch i Mared Williams am ei gwaith yn cywiro. Diolch i
Lynn Ebenezer a Geraint Lovgreen am gydweithio a chefnogi.
Diolch i Wasg Carreg Gwalch am y cyfle i ysgrifennu'r llyfr.

Bois y Band

NEIL ROSSER A'R PARTNERIAID
'OCHR TREFORYS O'R DRE'

SIPSI GALLOIS

Albwms

Caneuon Rwff

gan Neil Rosser

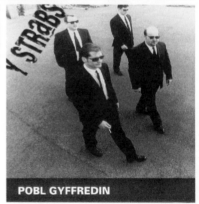

Y STRABS

POBL GYFFREDIN

6

NEIL ROSSER A'R BAND

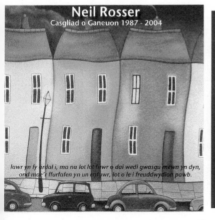

Aelodau'r bandie: Clwb y Diwc; Stiwdio Tim Hammil; Andy Davies;
Iest a finne.

Cynnwys

I.
Yr hen gapel

Aroglau oedrannus adeilad rhy fawr
Gwynt lleithder a henaint a gwynt polish llawr
Mae'r lle'n dala cannoedd
Ond ugain sydd nawr.
Lawr yn yr hen hen gapel.

O'r pwlpud pregethwr yn adrodd y Gair;
Chwiorydd y Sêt Fawr, heddiw yn dair
A'r organ yn atsain o dan ofal Mair,
Lawr yn yr hen hen gapel.

Droeon ni'n cefnau a heidio o'r lle,
Meddwl bo'n lle ni yn saff yn y ne,
Cilio o'r capel ond cilio i ble?
Sai 'di gweld rhywbeth all gymryd ei le.

Teimlad o hanes, traddodiad a graen
Atgofion o fywyd gorffennol sy'n blaen
Digon o seddi i ddala dros fil
Ond pymtheg sy'n dod 'ma acha dydd Sul.
Lawr yn yr hen hen gapel.

Ebenezer, Llwynbrwydrau.
Y pentref a ddiflannodd dan darmac yr M4.

Tua deuddeg oedd poblogaeth yr oedfa arferol yn Ebenezer, Gelli Fedw ac roedd chwech o'r rheiny yn dylwyth i fi. Wedes i unwaith ar ôl gwers Fathemateg yn yr ysgol fod hanner o'r nifer oedd yn y capel yn dylwyth, ac os bydde'r Rossers yn stopio mynd, bydde rhaid iddyn nhw gau'r capel. Ges i stŵr.

Yn ein sedd ni, fi oedd yr unig fachgen. Y drefn eistedd oedd Mam-gu Nita, Mari fy chwaer, Mam, Ynti Carlen, a wedyn fi. Roedd fy chwaer hŷn, Betsan, yn mynd i gapel arall. Roedd yn rhaid gwahanu Mari a fi am fy mod i wastod yn ei phoeni ac yn trial gwneud iddi chwerthin fel bod hi'n cael stŵr. Eisteddai Nhad a Nhad-cu yn y sêt fawr.

Dw'i ddim yn siŵr os oedd Nhad yn hoff o fod yno. Roedd e'n aflonydd yn ystod y weddi a'r bregeth, ac weithiau bydde fe'n tynnu darn o bapur allan o'i boced a gwneud nodiadau. Cynlluniau am brosiect adeiladu neu araith arall? Pwy a ŵyr? Doedd dim ots gyda fi'r drefn yma o eistedd achos roedd fy hen fodryb Carlen yn hilariws ac roedd astudio'i chleme hi yn gwneud i'r amser hedfan. Chwaer Dad-cu Wendal oedd Carlen ac roedd hi'n hen fenyw garedig ac addfwyn ond yn hollol boncyrs. Yn y capel roedd hi ar ei gorau ac roedd y cleme yn grêt i grwt deg oed am ei bod hi'n cythruddo aelodau eraill o'r teulu ac yn creu embaras mawr i bawb heblaw fi.

Doedd Carlen byth yn cofio dod â'i sbecs darllen gyda hi i'r cwrdd, ac felly doedd hi byth yn gallu darllen y llyfr emynau. Doedd hyn ddim yn ei hatal rhag cymryd rhan yn llwyr wrth ganu'r emyn. Tacteg Carlen oedd neud y geiriau lan. Yn ei meddwl hi, byddai llinell olaf pennill fel arfer yn gorffen gyda 'Calfari' neu 'Iôr' neu 'Arglwydd' neu ryw air crefyddol arall. Byddai Carlen yn mentro ac yn towlu'r gair odd hi'n meddwl oedd yn debygol o ddod nesaf, unrhyw air crefyddol. Weithiau byddai'r gambl yn gweithio ond ddim ond tuag ugain y cant o'r amser. Am yr wythdeg y cant arall, byddai Carlen yn canu'r gair anghywir – ffwl-blast. Gwych!

Tacteg arall Carlen i ddatrys y ffaith ei bod hi'n methu gweld y llyfr emynau oedd dechre gair ac yna addasu'r gair hwnnw hanner ffordd drwyddo ar ôl sylweddoli beth oedd y gair cywir. Gwedwch fod llinell olaf emyn yn gorffen gyda'r frawddeg 'ein Harglwydd cu', wel byddai Carlen ishws wedi gamblo a dechrau canu 'Calfari', sef un o'i hoff eiriau crefyddol oedd yn gorffen gydag 'i'. Nawr, hanner ffordd drwy ganu 'Calfari' byddai Carlen yn sylweddoli bod hwn yn anghywir ac yn newid y gair er mwyn ffitio mewn gyda phawb arall. Byddai Carlen felly yn cwpla drwy ganu 'Calfa-cu' tra oedd gweddill y pedwar-ar-ddeg oedd yn y capel yn canu 'ein Harglwydd cu'. Gwych; comedi pur. Roedd cleme Carlen yn neud i fi chwerthin ac roeddwn i'n ceisio dal llygad Mari er mwyn neud iddi hithau chwerthin hefyd a'i chael hi mewn i drwbwl.

Roedd gan Carlen ffordd ddiddorol o ganu tôn yr emyn. Canu alto wnâi Carlen ond mewn ffordd unigryw iawn. Roedd hi'n gallu pitsho'r nodyn cyntaf dri nodyn o dan yr alaw ac yn hytrach na symud gyda'r alaw byddai'n aros ar ei nodyn cyntaf, yn glynu at y nodyn hwnnw fel barnacl i graig. Erbyn diwedd y pennill byddai Carlen nôl mewn tiwn, ond byddai'r daith o gyrraedd y diwedd wedi bod yn un gerddorol boenus. Roedd hi'n swnio tamed bach fel y nodyn drôn ar y bagbib, nodyn sydd byth yn newid, weithiau mewn harmoni ac weithiau ddim yn gyson.

Roeddwn i'n ddrwg yn y capel ac yn esgus canu mewn llais soprano hen fenyw gyda llwyth o fibrato. Weithiau, er mwyn neud i Mari chwerthin, byddwn yn dynwared canu alto Carlen ac yn glynu at y nodyn drôn. Os na fydde Nhad yn y cwrdd byddwn i'n canu alto 'Carlen style' ffwl-blast drwy'r amser.

Roedd hen fenywod bryd hynny'n gwisgo llwynogod marw rownd eu gyddfau i'r cwrdd. Rwy'n credu mai 'fox collar' oedd enw rhain. Ond i ddweud y gwir roedd rhai Carlen yn debycach i fferets na llwynogod. Dau anifail bach ysglyfaethus blewog wedi'u blingo a'u gwnïo gyda'i gilydd yn y canol. Ffyrs brown tywyll oedd rhai Carlen gyda'r llygaid yn eu lle a dau ddant hir hanner cylch yn dangos yn y geg. Byddai golwg ffyrnig ar yr anifeiliaid oedd wedi eu lladd er mwyn bodloni ffasiwn yr oes. Dim rhyfedd!

Achos fy mod i'n 'bored' yn y capel, penderfynais unwaith osod losin *mint imperial* mewn rhwng dau ddant blaen y fferet ar y dde oedd yn pipo arna i bob dydd Sul. Roedd y finten yn ffitio'n berffaith rhwng y ddau ddant. Wedes i wrth Mari yn syth ar ôl yr oedfa er mwyn trial neud iddi chwerthin. Doedd Mari ddim yn un am gario clecs ac roedd y finten yn dal yng ngheg y fferet yr wythnos wedyn a'r wythnos wedyn hefyd, ond nid y drydedd wythnos. Ges i fyth stŵr; roedd Carlen yn amlwg wedi mwynhau'r jôc.

Ar y dechre doeddwn i ddim yn hoff o ymweld â Carlen yn ei chartref am nad oedd hi'n gogyddes dda. Roedd Carlen, druan, yn ffaelu cwcan o gwbwl. Mae clywed y geiriau, 'Ma' tamed bach o ffish 'da fi i ti was,' yn dal i godi arswyd. Fel arfer *smoked haddock*, neu ddarn bach o adoc, oedd y pysgodyn. Lliw melyn rhyfedd a blas hallt iawn oedd ar yr adoc, a châi ei ferwi'n ffyrnig am ugain munud. Câi'r pysgodyn ei dowlu ar y plât gan Carlen mewn brys a byddai dŵr berw yn llifo o'r pysgodyn ac yn creu pwll melyn o dan y tato newydd. Hyfryd! Roeddwn i wastod yn bwyta'r cwbwl.

Yn yr oedran hynna, ma' bwyta i grwt yn broses o lwytho tanwydd yn hytrach na mwynhau blas ar fwyd. Yn ystod y pryd bwyd, byddai Carlen yn holi, 'Dere bach o hanes i fi te, was.' Fel arfer, doedd dim hanes gyda fi. Doedd dim clem gyda fi am glecs capel na chymdogion ac felly y bu am flynyddoedd: 'Sdim hanes gyta fi,' oedd yr unig ateb, a byddai holi Carlen yn ofer ac yn boenus i ni'n dau. Byddai cwestiynu Carlen yn gallu ypsetio aelodau eraill o'r teulu. Doedd fy chwaer hynaf, Betsan, a Nhad yn enwedig, ddim yn hoff o glecs ac o gwestiynu'r hen wraig. Roedd hi hefyd yn enwog am ei chwestiynu anaddas ar ymwelwyr. Mae yna sawl enghraifft o'r rhain. Fe ofynnodd i sboner Betsan yn ystod un ymweliad â'r tŷ,

'Tell me now bach, have 'ew got all of 'ewr own teeth?'

Adeg arall oedd pan es i â chariad oedd yn wreiddiol o Wlad Groeg yno (stori hir!).

'Tell me now bach, what enwad are 'ew?'

Ar ôl i fi esbonio wrth honno fod enwad yn golygu rhyw frand penodol o grefydd capel, atebodd hi 'Greek Orthodox'. Ateb da, ond yr ateb anghywir. Pan es i â'r ferch o Port yno rai blynyddoedd yn ddiweddarach gofynnwyd yr un cwestiwn.

'Gwetwch nawr bach, pwy enwad y'ch chi cariad?'

'Methodist.'

Daeth yr ateb cywir y tro 'ma. Haleliwia! Un prynhawn Sadwrn newidiodd perthynas Carlen a fi. Wrth i fi wthio'r ail bishyn o adoc i lawr, ac esbonio bod dim hanes gyda fi a dim byd i'w adrodd, fe ddywedodd Carlen rywbeth rhyfeddol.

'Wel er mwyn dyn, jest gwêd rwpeth!'

Y frawddeg yma newidiodd bopeth rhwng Carlen a fi. Sylweddolais fod dim ots gyda Carlen beth oedd yn cael ei ddweud, dim ond bod rhywbeth yn cael ei ddweud. Dechreuais wneud pethe lan, pethe oedd ddim yn wir, jest nonsens.

'Gwêd nawr was, beth lice ti fod pan ti wedi tyfu lan?'

'Wel erbyn hyn fi'n credu mai astronôt fydde'n siwto fi orau, Anti Carlen. Chi bownd o gael llonydd lan fynna.'

Doedd y ffaith mod i yn yr ail set mewn Gwyddoniaeth yn Ysgol Ystalyfera a'r trydydd set Maths ddim yn ystyrieth. Yr un fyddai ymateb Carlen i'r holl straeon, sef,

'Gwd, gwd, gwd ffor iw.'

Daeth tripiau i dŷ Carlen o hynny ymlaen yn fwy o sbri. Fydde dim ots gyda fi wneud jobsys bach iddi o gwmpas y lle. Fyddwn i wastod yn cael mwy na digon o arian am wneud gan ei bod hi mor hael, ac ar ôl bach o bysgod i fwyta byddwn i'n dechre siarad nonsens a neud stwff lan. Bydde Carlen yn chwerthin yn braf ar fy storïa ac ambell waith yn gweud, 'Gwd ffor iw' neu 'Dere nawr, sdim tamed o sens yn dod mas o dy ben di!' Hen fodryb annwyl.

Ochr arall y teulu oedd Mam-gu Anita neu Nita fel byddwn i'n cyfeirio ati hi. Mam fy nhad oedd Nita: menyw gref, benderfynol a chrefyddol iawn. Roedd yna bedwar capel ym mhentref Gelli Fedw yn y saithdegau; Tabor (yn yr Hewl Las), Soar (lle roedd fy chwaer Betsan yn mynd) Nazareth ac

Ebenezer (lle roedd gweddill y Rossers yn mynd). Y tafarnau oedd y Crown (ochr Glais y pentref), y Teras (tafarn rwff), y Birchgrove, y Bridge (er nad oedd yna ddim pont), y Bowens (ochr Sgiwen o'r pentref) a'r Tap.

Doedd fy nheulu i ddim yn mynd i'r tafarnau am mai pobl capel oedden nhw, er mae'n debyg y byddai Mam-gu Nita yn mynd i'r Tap i brynu fflagon o gwrw i Nhad-cu yn ddyddiol i yfed adre ar ôl iddo chwysu'n stecs o flaen y ffwrneisi. Byddai'r dynion capel yn dod adre ar ôl shifft tra oedd y dynion llai cadwedig yn mynd yn syth i'r dafarn i yfed cwrw gwan cyn mynd adref.

Roedd Mam-gu Nita yn fenyw ddigyfaddawd a dweud y lleiaf. Hollol styfnig, disgybledig, crefyddol a chaled (yn gwmws fel Nhad heblaw am y crefyddol). Darllenai Nita'r Beibl bob dydd, ac roedd hi'n hoff o drafod cynnwys y damhegion yn nosweithiau Chwiorydd y Capel yn Ebenezer. O ganlyniad i'r holl ddarllen yma, roedd ei Chymraeg hi'n gyfoethog iawn. Nid wy'n siŵr sut oedd ei Saesneg achos chlywes i erioed 'mo Nita'n ei siarad.

Roedd hi'n fenyw gorfforol gryf oedd yn glanhau ('cna') yn ddyddiol, yn crasu bara deirgwaith yr wythnos ac yn sicrhau bod Nhad-cu yn troi pob modfedd o'r ardd. Ar bendraw'r ardd roedd gweddillion y twlc mochyn. Roedd yn arferiad i gadw mochyn ar bendraw'r ardd mewn ardaloedd diwydiannol; ffordd ardderchog o ailgylchu pob tamed o fwyd oedd yn wast. Gardd hir a chul oedd yn nhŷ Mam-gu Nita ac roedd hi'n dal i drio troi'r ardd i dyfu llysiau ymhell ar ôl i Nhad-cu farw.

Roedd yn rhaid i fi a Mari ymweld â Mam-gu Nita a Carlen bob wythnos ac roedd y ddwy yn hael iawn gyda'r arian, oedd wastod yn dod ar ddiwedd y sgwrs. Serch hyn, roedd yna wahaniaeth mawr yn yr help roedd Nita'n ei ddisgwyl am rodd ariannol o'i gymharu â beth oedd Carlen yn ei ddisgwyl. Byddai Carlen yn gofyn am lanw bach o lo ond bydde Nita'n disgwyl tipyn mwy o waith am yr arian. Un prynhawn Gwener fe alwes i yno ar ôl ysgol ac roedd Nita'n aros amdana'i.

'Fi moyn i ti glirio top yr ardd i fi was; ma fe'n ddrain i gyd.'
Roedd Nhad-cu John wedi marw erbyn hynny ac roedd troi top
yr ardd wedi mynd yn ormod iddi. Es i lan i dop yr ardd, a oedd
yn jyngl o ddrain. Gyda phâr o siswrn oedd â braidd ddim awch
ac yn fy ngwisg ysgol, es i ati i daclo'r drain. Ar ôl chwarter awr
roeddwn i'n gwte ac yn grafiade i gyd a gorffes i fynd i weud
wrth Nita fy mod i wedi methu. Roedd hi'n amlwg wedi siomi
a ddim am guddio'i theimladau.

'Dim lot o siâp arno ti'n cliro'r ardd na was. Wotshes i ti o'r
gecin. Paid â becso, wneith dy dad e pan fydd e lawr nesaf.'

Es i adre a gweud wrth Mam y stori am y drain ac esbonio
pam roedd fy nghoesau yn streipiau coch lle'r oedd y drain
wedi sgrabino'r croen. Gwylltiodd Nhad ar y ffôn (o Lundain)
a wedodd e y bydde fe'n mynd i glirio'r drain ddydd Sul. Aethon
ni lawr ar y dydd Sul ac roedd Mam-gu yn ynfyd grac bo ni'n
bwriadu gweithio yn yr ardd ar y Sabath.

'Melvyn, beth fydd pobl yn gweud o'ch gweld chi mas yn yr
ardd acha dydd Sul? Fi fydd yn cael fy marnu.'

'Wel grindwch 'ma, fi'n cwrdda Cadeirydd y Midland Bank
am naw bore fory so dim ond heddi sy gyta fi, so bydd rhaid i
fi fynd i uffern...' Dyna'r math o beth y byddai Nhad yn gweud
nôl. Roedd eu perthynas yn danllyd am fod y ddau mor debyg.

Roedd Nhad wedi ca'l compownd wrth Dad-cu Wendal,
hylif brown oedd yn neud i'r llygaid ddyfrio os byddech o fewn
troedfedd iddo. Roedd compownds Wendal bob amser yn dod
mewn hen ganiau mawr olew oedd yn arfer dal Castrol.

'Beth sydd yn yr oil can chi wedi ca'l wrth Dad-cu Wendal,
Dad?'

'Smo fi'n gwpod was, ond ma Wendal yn gweud mai hwn
yw'r stwff ma'r bois yn iwso i glirio tracs y rheilffyrdd.'

Gyda dim ond bobo bâr o fenig garddio aethon ni ati i
arllwys hylif brown dros waelodion y drain. I fod yn deg, Nhad
aeth i ganol y drain gyda'r can wotro, a fi lanwodd y can iddo,
hanner compownd i hanner dŵr fel wedodd Wendal. Erbyn yr
ail daith i ganol y drain roedd Nhad wedi colli amynedd.

'Dere â gweddill y blydi stwff 'na i fi.'

Cafodd y drain oedd yn weddill ddosad o gompownd pur. Ges i neges ar y dydd Mawrth yr wythnos wedyn i fynd draw i dŷ Mam-gu. Mae'n debyg bod compownd Dad-cu wedi gweithio'n rhyfeddol o dda ac roedd y drain a oedd yn wyrdd gynt yn bren brown. Es i draw i dŷ Mam-gu yn syth o'r ysgol.

'Fi moyn i ti ofyn i Wendal am bach o baraffîn a dere â fe lawr 'da ti bore dydd Sadwrn i ni ga'l llosgi'r cwbwl. Sdim ishe gweud wrth neb ne' bydd ffŷs.'

Roedd wedi fy nharo i o oedran ifanc iawn bod pawb yn gweud wrtha i am beidio ffysan er mai fi o'dd yn creu'r lleiaf o ffŷs allan o bawb. Do'n i byth yn neud ffŷs. Roeddwn yn dyheu am fywyd heb ffŷs ond roedd pawb yn llawn cynlluniau di-ened rownd y rîl ac roeddwn i wastod yn rhan ganolog o gynllun pawb.

Roedd cynllun Nita i gynnau tân yn swnio'n grêt. Es i weld Dad-cu Wendal oedd wedi clywed am y cynllun ac fe wedodd wrtha'i pa gan o olew Castrol yn y garej oedd yn cynnwys y paraffîn. Beth bynnag oedd compownd Dad-cu, roedd wedi lladd popeth. Roedd y drain, y dail, y chwyn a phopeth arall oedd yn wyrdd yn awr yn frown farw.

'Hwn yw'r un ti moyn was,' medde Wendal wrth estyn y can oedd i fod ddal paraffîn. 'Fi wedi rhoi bricsen ar 'i ben e fel bo ti ddim yn cymysgu lan. Gwêd wrth Nita am dowlu'r cwbwl dros y drain a rhoi matsyn iddo fe. Gad i Nita neud y llosgi. Sefa di nôl a phaid neud ffŷs.'

Daeth bore Sadwrn. Roedd Nhad yn fishi yn gweithio, felly ges i lonydd i gydio yn y can Castrol a'i ercyd tua milltir lawr yr hewl i dŷ Nita.

'Gwd boi, ti wedi dod â fe. Beth wedodd Wendal?'

'Wedodd Wendal i chi dowlu'r paraffîn dros y cwbwl ac yna sefyll yn glir a thowlu matsyn i losgi'r cwbwl.'

'Reit 'te, er mwyn ni fod yn saff, sefa di fan hyn a fi'n mynd i fynd drwy'r drain i dop yr ardd i ddechre'r tân.'

Diflannodd Mam-gu i ganol y drain yn cario'r can Castrol a bocsed o fatsys. Sefais i yno am ychydig yn aros iddi ddod mas ond ymddangosodd neb. Hyd yn oed yn unarddeg mlwydd oed, roeddwn i'n gwbod bod cynllun Mam-gu yn llawn gwallau. Roedd y gwynt yn chwythu lan yr ardd, nid i lawr lle roedd trwch y drain brown. Doedd dim angen paraffin i helpu'r tân chwaith, roedd popeth mor sych a marw, bydde'r sbarcyn lleiaf wedi hala'r cwbl lot lan mewn fflamau. Ar ben hyn, roeddwn yn gwbod bod dim system labelu trylwyr gyda Dad-cu Wendal ar y caniau dienw oedd yn y sied. Gallai Mam-gu fod wedi taflu paraffin, *kerosene* neu waeth byth, petrol ar y drain. Roedd Dad-cu yn dibynnu ar ei gof o ran cynnwys y caniau ac roedd y cof yn methu weithiau.

Y peth cyntaf weles i oedd y cwmwl glas o dop yr ardd, wedyn fflam chwe trodfedd o wres oren yn codi i'r awyr. Yna Mam-gu Nita yn ymddangos o'r drain. Ac am y tro cyntaf, clywais i hi'n rhegi, ond yn Gymraeg wrth gwrs.

'Beth yffarn sy' yn y can 'ma roiws Wendal i ti? Cer was, rhed nerth dy drâd i ôl dy Dad a gwêd bod blydi emergency lawr yn Pencwm!'

Dyna beth nes i, rhedeg nerth fy nhraed adre a bostio mewn i'r stafell roedd Nhad yn ei galw'n stydi er mwyn gweud am yr emergency yn Pencwm. Nid oedd yn hoff o neb yn tarfu arno wrth iddo weithio yn y stydi. Roedd yn treulio oriau yno wrth ei waith ac wrth ei lyfrau. Dim ond gwaith roedd e'n lico.

'Dad! Dad! Ma' emergency yn Pencwm. Ma Mam-gu wedi dodi'r ardd ar dân a ma'r fflame lan i uchder y to. Ma' Mam-gu yn gweud bo fe'n *bloody emergency!*'

Roedd rhaid ymestyn y stori ychydig er mwyn ei gwneud yn fwy dramatig. Mewn argyfwng, bydde Nhad bob amser yn troi at Mam. Roedd e'n defnyddio Mam druan i gael gwared ar yr holl densiwn.

'Margaret, I have to go and sort out an emergency in Pencwm! My mother's put the bloody house on fire and Neil is involved!'

Roedd Nhad hefyd yn hoff o ymestyn stori. Erbyn i ni gyrraedd Pencwm roedd y frigâd dân wedi cyrraedd ac roedd y sefyllfa o dan reolaeth. Roedd Nita wedi cael sioc ac eisteddai yno yn wyn fel shîten. Ond roedd Nhad yn grac am fy mod i wedi tarfu ar ei waith ac nid oedd yn bwriadu dala nôl. Felly bant â nhw unwaith eto i ffraeo.

'Beth yffarn y'ch chi'n blydi neud fenyw yn trial rhoi'r lle ar dân?' dechreuodd Nhad.

'Paid ti ag iwso'r iaith 'na arno i. Beth os bydd dynion yn clywed ti'n iwso iaith fel 'na? Fi fydd yn cal 'y marnu.'

Roedd trigolion gwaelod Cwm Tawe yn defnyddio 'dynion' i feddwl 'pobl'.

'Iaith? Iaith? Dim ots am blydi iaith! Chi 'bythdu llosgi'r tŷ lawr!'

A dyna fe, sgwrs arall fel cannoedd o sgyrsiau teuluol eraill. Wendal a Nhad yn coethan. Wendal a finne yn llawn drygioni. Nita a Nhad yn coethan. Carlen yn boncyrs a phawb yn gweud wrtho fi i beidio neud ffŷs.

Er gwaetha'r dynameg cecrus, roeddent yn ofnadw o garedig ac yn cadw cefnau ei gilydd drwy'r amser. Hyd y gwn i, mae pob teulu'r un peth, yn danllyd ac yn ddi-flewyn-ar-dafod gyda'i gilydd, ond yn meddwl y byd o'i gilydd ar yr un pryd.

Rhain oedd cenhedlaeth yr Ail Ryfel Byd, yn gyfarwydd â chaledi ac yn gwbod sut i oresgyn heb orfod gofyn am help. Neud i bopeth bara, a chwiro yn hytrach na phrynu o'r newydd oedd eu ffordd. Roeddent yn hoff o helpu cymydog a rhannu. Nid oeddent wedi cael eu cyffwrdd gan syniadau gwenwynig Thatcher o roi'r unigolyn yn gyntaf. Roeddent yn byw drwy roi pobl eraill yn gyntaf, ac yn hapusach o achos hynny. Oes syml o dyfu llysiau, canu emyne ac yfed te (weithiau gyda bach o sieri ynddo fe).

Mae hen Gapel Ebenezer wedi'i ddymchwel erbyn hyn. Mae Ysgol Lôn Las wedi symud ac mae'r hen bobl wedi pasio. Mae'r dafodiaith liwgar, unigryw wedi pasio gyda nhw. Mae Cymry ifanc yr ardal yn siarad Cymraeg nawr yn hytrach na 'wilia

Cymrâg', sydd yn iawn wrth gwrs. Ond 'wy'n falch fy mod i wedi treulio ychydig o flynyddoedd plentyndod yng nghwmni pobol yr hen gapel.

2.

Pysgota

Mynd mas i bysgota

Wel 'wy'n mynd mas i bysgota
Dala sewin fach i de,
Dala sewin fach i ti,
Bydd e'n tasgu yn y ffrimpan heno
Bach o fenyn, bant â ni.

Wel 'wy'n mynd mas i bysgota
Iwso hen wialen rad,
Iwso hen wialen rad,
Ond fydd y pysgod ddim yn gwybod
Pâr o trainers ar fy nhra'd.

Cytgan:
Does dim ots 'da fi chwaith os wna'i ddala dim byd
Rwy'n dwlu ar dawelwch, y llonyddwch sydd yn denu dyn o hyd.

Wel 'wy'n mynd mas i bysgota
Iwso mwydyn ffres o'r pridd,
Iwso mwydyn mas o'r pridd,
Cwato'r bachyn gyda'r mwydyn,
Cawn ni frithyll diwedd dydd.

Wel 'wy'n mynd mas i bysgota
Byw mewn gobaith am un mawr,
Byw mewn gobaith am un mawr,
Fi'n anghofio am yr amser, smo fi'n becso am yr awr.

Tadcu Wendal. Y Pysgotwr.

Peidiwch â chamddeall, 'wy ddim yn bysgotwr o fri. Wedi'r holl flynyddoedd o sefyll ar lan afon, dim ond llond dwrn o frithyllod, dau sewin a dwsinau o lysywod sydd ar y sgorfwrdd. O ran pysgota môr, yr unig lwyddiant wedi oriau o daflu i'r dwfn fu ychydig fecryll ac un pysgodyn penfras. 'Gweddol yn unig' fyddai'r adroddiad pwnc 'Pysgota' yn ei ddweud.

Yn ddiweddar mae creulondeb y gamp wedi bod yn chware ar 'y meddwl. Mae'r broses o lusgo'r pysgodyn allan o'i gynefin gerfydd ei wefus ar ôl twyllo'r pŵr dab i lyncu bachyn sydd yn cwato mewn mwydyn bownd o fod yn greulon. Wedi dweud hyn, rwy'n dal i fynd yn achlysurol, a macrell ffres wedi'i ffrio mewn menyn yw'r ffefryn.

23

Tad-cu Wendal, sef tad Mam, oedd y partner pysgota ym mlynyddoedd fy mebyd. Roedd e'n byw drws nesaf lan i ni ar Hewl Gelli Fedw mewn tŷ o'r enw Min y Rhiw. Enw'i wraig oedd Magi, oedd yn dwlu arno ac yn ei dendio'n ddyfal.

Dyn oedd yn gallu troi ei law at bob math o bethau heb fod ag ofn methiant oedd Wendal. Byddai'n galw'i ddiddordebau niferus yn 'Projects'. Os byddai Wendal yn dod i'r tŷ ac yn dweud fod Project ar waith a bod 'eisie bach o help wrth y crwt', fe wyddwn i fod yna rywbeth grêt ar y gweill.

Am fod Nhad yn gweithio bant gymaint, fe dreuliwn i lot o amser yn ei gwmni. Roedd Wendal a fi'n agos. Wendal oedd y cerddor, yn chware'r piano o'r glust. Doedd e ddim yn hoff o fy jôc i am hyn.

'Da-cu, beth dylse chi weud os oes rhywun yn gofyn i chi, "Do you play the piano by ear?"?'

'Smo fi'n gwpod, was. Beth ddylsen i weud os oes rhywun yn gofyn, "Do you play the piano by ear?"?'

'Wel, dylse chi weud, "No, boy – I play it over by there!".'

'Jôc ddwl yw honna, was. Gad dy ffŷs. Nawrte, cana hwn.'

Trial dysgu fi i ganu emynau wrth y piano oedd un o hoff Projects Wendal a byddai'n mynd yn grac pan fyddwn i'n chwerthin. Byddai arddull Wendal o chware'r piano yn ddoniol. Roedd y llaw chwith yn neidio o'r nodyn bas i'r cord gwaelod drwy bob cân. Roedd y llaw chwith yma'n neidio o gwmpas yn yr emynau araf a'r rhai cyflym, yn cynnwys alawon gwerin a chaneuon Mary Hopkin. (Roedd Tad-cu yn nabod teulu Mary Hopkin o Bontardawe ac yn hoff o atgoffa pawb o hynny). Roedd y llaw chwith yn annibynnol, fel 'tai'n perthyn i gorff rhywun arall. Byddai'n neidio o gwmpas fel lleuen mewn crachen. Flynyddoedd yn ddiweddarach, fe dries i chware'r piano gan ddefnyddio arddull 'naid y llaw chwith'. Anodd iawn i'w neud yn iawn. Chwerthin oeddwn i ar y pryd ond erbyn hyn rwy'n llawn edmygedd o ddawn Wendal ar y piano.

Fel arfer byddai Wendal yn chwarae pob emyn ac alaw yn y cywair G neu C, neu mewn rhyw gywair od lle byddai e'n chwarae'r nodau du yn unig. Pan fydde fe'n chwarae un o'r rhain, bydde fe'n dweud,

'Ti'n gweld was, ma'r bois jazz 'na yn New Orleans yn ware fel hyn. A ma Ryan yn gallu neud e hefyd. Fi'n napod teulu Ryan, twel.'

Byddai Wendal ar ei orau wrth ochr y Tawe yn pysgota. Y Tawe yn y saithdegau oedd un o'r afonydd mwyaf brwnt yn ne Cymru. Roedd y dŵr oedd yn gorlifo allan o'r hen byllau glo lan y cwm yn llifo'n syth mewn i'r afon. Mae pob afon â lliw brown iddi pan fo llif, ond roedd y Tawe yn lliw gwahanol i afonydd eraill. Lliw brown golau annaturiol, bron â bod yn oren. Serch hynny, roedd yna rai brithyllod bach yn yr afon (yn ôl y sôn) a channoedd neu filoedd o lysywod. Byddem yn mynd yno i bysgota brithyll, ond dala llysywod fyddai Wendal a fi. Ar ochr y Tawe, bant o glyw a golwg pawb, byddai Wendal yn dweud ambell berl.

'Ti'n gweld was, ma'r bobl ma sy'n mynd i bysgota er mwyn dala pysgod yn miso'r pwynt. Ni 'ma i ga'l llonydd, tweld, dim byd i neud â dala pysgod. Os wyt ti'n gweud bo ti'n mynd i bysgota, ma pawb yn gatel ti fod. Cei di ddim o dy holi'n bellach achos sdim intrest 'da neb mewn pysgod. Pryd glywest di unrhyw un yn cario clecs am bwy welson nhw ar ochor afon? Na, gei di lonydd fan hyn. Ma fe fel "free pass".'

Fy ymateb i i'r holl berlau yma fyddai, 'Ocê Da-cu,' er ar y pryd, doedd dim lot o glem gyda fi am beth oedd e'n siarad. Dros gyfnod o dair blynedd mae'n debygol ein bod ni wedi dala rhyw gant o lysywod ac un brithyll, cymhareb o 100:1. Wedi dweud hynny, roedd y cynnwrf o weld top y wialen yn dechrau crynu yn creu'r un wefr beth bynnag fyddai ar ben y lein.

'Da-cu! Da-cu! Pysgotyn!'

'Ie ti'n iawn, was. Dere 'ni weld beth sy' gyda ni tro 'ma te.' Bydde fe'n rhyw esgus ymladd gyda'r pysgodyn enfawr oedd ar y wialen tan y funud olaf ac yna,

'Wel myn yffarn, llysywen arall!'

Roedd y llysywod fel nadredd bach ac yn gallu bod dros

droedfedd o hyd. Roedden nhw'n gwingo ar ben y lein wrth iddyn nhw geisio rhyddhau eu hunain o'r bachyn, yn troi'r lein mewn i glwstwr o nwdls. Byddai Wendal yn glanio'r llysywen a gadael i fi geisio dadwneud y nwdls a datgysylltu'r bachyn o'r llysywen cyn ei thwlu hi nôl. Gallai llysywen fyw yn hirach mas o'r dŵr na physgodyn. Tasg i grwt amyneddgar oedd dadwneud yr annibendod a rhyddhau'r bachyn. Weithiau byddai Wendal yn ddiamynedd a bydde fe'n dal y wialen yn fwy fertigol nes bod y lein yn agosáu ato ac yna byddai'n llosgi'r lein gyda'r sigarét o'dd e'n smocio'n barhaol. Byddai'r llysywen a'r lein, y bachyn, y cwbl lot yn cwympo nôl i'r Tawe. Creulon iawn ac yn achosi llygredd a niwed i fywyd gwyllt yr afon. Ond roedd yr oes yn wahanol.

'Ti'n gweld was, ma'r blydi llysywod ma'n sbwylo'r afon.'

'Ocê, Da-cu.'

Trodd boi dieithr lan un noson dawel ar ochr yr afon. Dwedodd Wendal 'Shwmae' ond ddwedodd y boi ddim byd nôl. Roedd gyda fe wialen bysgota denau a siaced *camouflage* gyda hanner dwsin o bocedi. Cerddodd mewn i'r afon mewn pâr o welis enfawr a dechrau chwifio'r wialen nôl a blaen dros ei ben.

'Wel shgwl was, ma' blydi "action man" wedi cyrradd!'

'Beth ma'r boi 'na'n neud, Da-cu?'

'Wel pysgota pluen rwyt ti'n galw hynna, boi. Ma'r bachyn wedi cwato mewn bach o blu i neud iddo fe edrych fel cleren sydd yn oifad ar ben y dŵr. Ma'r pysgodyn yn meddwl bo fe'n mynd i ga'l cleren i swper ac wedyn mae'n cal yffarn o sioc.'

'Pam smo ni'n neud hynna, Da-cu?'

'Wel ti'n gweld was, fel hyn mae. Ma'r stwff na sy' gyda fe boio yn costi ffortiwn a smo'r pysgotyn yn gwpod os ma wialen tshêp neu wialen ddrud sy gyta ti, so ma fe'n wast o amser. Ma' gyta ni gyment o siawns i ddala pysgotyn acha bachyn mewn mwydyn ar ben wialen tshêp â sy' gyta fe boio o ddala pysgotyn acha bachyn mewn pluen ar ben wialen ddrud. So i ateb dy gwestiwn di was, ma'r boi 'na wedi bratu arian a nawr ma fe'n bratu amser achos dim ond llysywod sy'n cnoi heddi, a ma' nhw ar waelod yr afon.'

Ateb cyflawn. Perl fach arall a gwers bwysig – 'Wastad, bydd yn well na dy offer!'

Roedd Wendal yn hoffi yfed yn gyson ond byth yn meddwi, ac roedd e'n hoffi smocio. Ar ddiwedd ei oes, daeth peryglon ysmygu i'r amlwg yn y wasg ac ymateb Wendal oedd newid brand o Capstan Full Strength i Woodbine. O ran diod, wisgi neu sieri oedd e'n lico; byth cwrw. Roedd y fflasg wisgi gyda fe ar ochr yr afon ac roedd e'n lico yfed sieri yn y tŷ, weithiau mewn dishgled o de.

Ar ochr y Tawe yn agos i ble roedden ni'n pysgota roedd yna nifer o garafanau sipsiwn. I ddweud y gwir, teithwyr o Iwerddon oedden nhw a dim cysylltiad gyda'r brodorion Romani. Dim sipsiwn y carafanau pren lliwgar a'r ceffylau dof oedden nhw ond sipsiwn y metal sgrap a'r tarmac rhad. Yn hytrach na thân rhamantus ar y comin, byddai'r rhain yn fwy tebygol o fod yn llosgi tomen o hen deiars.

Roedd nifer o'r trigolion lleol ag ofn y sipsiwn hyn: pobl galed oedd yn arbenigwyr ar ymladd yn ffyrnig. Os byddech yn cwympo mas gydag un, byddai'r llwyth cyfan mas i ga'l chi. Fi'n cofio hanesion ymladd y sipsiwn yn yr *Evening Post* pan gorfod i dafarn y Rising Sun yn Bonymaen gau o achos ymladd rhwng ganged o sipsiwn a dynion lleol.

Roedd yna boblogaeth fawr ohonyn nhw yn nwyrain Abertawe o achos llong fferi Abertawe-Corc oedd yn cysylltu'r ddwy ddinas. Byddent yn glanio yn Abertawe a ffeindo bod dim croeso yng ngorllewin y ddinas ond byddai neb yn becso taten os bydden nhw'n gosod camp yn y dwyrain – Treforys, Llansamlet, Bonymaen neu'r Glais. Y Copperopolis. Weithiau bydde'r sipsiwn yn cerdded heibio ac yn gofyn, fel byddai pawb, 'Caught anything?' Yr ateb wrth gwrs fyddai, 'Only eels.'

Yn hytrach na throi trwynau, roedd y tincers yn ddigon hapus i dderbyn y llysywod fel pysgod bwyta. Dechreuodd Wendal eu cadw nhw a'u rhoi nhw i'r tincers oedd yn ddigon hapus i flingo nhw a'u ffrio nhw. Byddent yn hoelio pen y llysywen i bostyn pren ac yn llusgo'r croen bant o'r corff gyda phâr o pleiers car. Byddai'r croen yn dod bant yn un pishyn. Ofnadwy, ond oedd, roedd yr oes yn wahanol.

Trwy lwc roedd y llysywod nawr yn werth rhywbeth. Byddai Wendal ar ddechrau pob sesiwn pysgota yn dweud wrth y pysgotwyr eraill oedd ar y banc, 'Remember boys, don't throw ewr eels, I'll 'ave 'em.'

Ar ôl casglu tair neu bedair llysywen byddai Wendal yn mynd â nhw draw at y tincers yn fyw mewn bwcedaid o ddŵr. 'Fi'n mynd â rhain draw i'r carafanau was. Byddi di'n olreit am hanner awr fach?'

'Oce Da-cu.'

Ar ôl awr byddai e'n dod nôl, wedi ca'l diod ac yn hapus. Roedd e'n mwynhau'r ddêl – llysywen am wisgi Gwyddelig – ac roedd e hefyd yn mwynhau cwmni'r sipsiwn.

'Sneb â gair da i weud am y tincers, ond maen nhw'n ddicon neis, reit i wala.'

Aeth hyn ymlaen am ychydig o fisoedd tan i fi ddweud yn hollol ddiniwed wrth Nhad beth oedden i'n wneud am yr holl oriau yn ystod tripiau pysgota gyda Tad-cu. Gwylltiodd Nhad a daeth ei dymer ofnadwy allan. Roedd yn ynfyd grac ein bod ni'n cymysgu gyda'r sipsiwn a bod Wendal yn cael diod gyda nhw ac yn gadel fi ar ochr yr afon. Fi'n cofio nhw'n gweiddi ar ei gilydd yn yr ardd ffrynt o flaen y stryd i gyd. Doedd Wendal ddim am ildio modfedd iddo.

Stopiodd y tripiau pysgota am gyfnod. Ddysgais i wedyn i beidio gweud gormod wrth Nhad. Roedd e am i ni fod yn barchus a doedd e ddim am i fi ddysgu gormod o styntiau Wendal.

Roedd Wendal yn arddwr arbrofol a llwyddiannus ac yn ddigon lwcus i gael plot mawr o dir gan ddefnyddio pob modfedd i dyfu llysiau. Doedd ganddo fe ddim ofn trial pethau newydd. Ac yn ogystal â thato a chynabêns, fe fydde fe hefyd yn tyfu grawnwin. Wrth feddwl nôl, roedd dull tyfu grawnwin Wendal yn gamp beirianyddol yn ogystal â champ arddwriaethol.

Roedd yna dair gwinwydden yn nhŷ Wendal ond nid mewn tŷ gwydr byddai'r rhain yn tyfu ond yn hytrach yn y portsh, sef y ffordd mewn drwy ddrws y bac. Roedd y portsh yn fawr ac roedd Dad-cu wedi tynnu'r to teils ac ail-osod paneli gwydr solet yn lle'r teils. Yr effaith oedd tŷ gwydr mawr.

Byddai'r gwinwydd yn dechrau tyfu mewn pridd y tu fas i'r tŷ ac wedi eu treino lan ochr y wal tu fas. Roedd Tad-cu wedi bwrw dwy fricsen allan o'r wal a gwthio'r planhigion mewn drwy'r tyllau. Roedd wedyn yn fater o treino'r planhigion lan wal ochr tu fewn y portsh ac ar hyd y paneli gwydr oedd yn y to. Effaith hyn i gyd oedd grawnwin yn tyfu lawr o'r to ac yn bwrw unrhyw rai tal ar eu talcen wrth iddyn nhw fynd mewn drwy ddrws y bac. Roedd e'n falch iawn o'r grawnwin a'r gwinwydd.

'Ti'n gweld was, dyma shwd odd y blydi Romans yn byw. Cwnnu yn y bore, dod lawr llawr a phigo bwnshed o grêps i frecwast.'

'Ocê Da-cu.'

Athrylith!

Doedd Wendal ddim yn un am dŷ tafarn ond bob prynhawn Sadwrn yn ystod y gaeaf byddai'n troi parlwr Min y Rhiw mewn i dafarn ar gyfer y reslo oedd ar *World of Sport*.

Camp ryfedd oedd y reslo ar brynhawniau Sadwrn yn y saithdegau. Dynion tew yn esgus ymladd ac yn esgus anafu mewn gornest lle penderfynid ar yr enillydd ymhell o flaen llaw.

Y criw oedd yn cyfarfod i wylio'r reslo oedd Wncwl Emlyn (sef ewythr i fi oedd yn byw lan yr hewl) a Mr Stanley Jones (sef pregethwr capel Saron ar hewl Gelli Fedw). Roedd gan Wendal dipyn o feddwl o Mr Stanley Jones y pregethwr.

Roedd y teledu yn y stafell fyw neu'r parlwr. Hon oedd ogof Wendal ac roedd popeth wedi eu gosod allan i'w siwtio fe. Cadair esmwyth ledr lathen yn unig o'r sgrin deledu, ford fach ar y dde ar gyfer gwydr a sigaréts, ford fawr ar y chwith ar gyfer y poteli a'r papur newydd. Roedd e'n gallu cyflawni o leiaf dri gweithgaredd gwahanol heb orfod symud modfedd o'r fan.

Byddai'n smocio drwy'r amser. Pib a sigaréts am yn ail. Roedd hyn yn achosi pryder mawr i Mam-gu, nid o achos yr effaith ar eu hysgyfaint ond am fod y nenfwd a thop y welydd yn y parlwr wedi melynu o achos y mwg. Roedd yna haen barhaol o fwg yn hofran rhyw droedfedd o'r nenfwd pan fyddai'r ffenestri ar gau.

Byddai'r prynhawn Sadwrn yn dechrau'n ddigon parchus gyda Mam-gu yn dod â the, caws, Jacobs Crackers a theishen i'r parlwr. Mae'n werth nodi fan hyn bod y teulu yn bwyta teisennod rownd y rîl: bara brith, pice ar y ma'n, teishen lap a sgons wrth y blydi tunnell. Roedd y menywod i gyd wrthi yn neud teisennod. Roedd sawl sefydliad Cymreig yn yr ardal yn seiliedig ar deishen. Fi'n cofio nawr gorfod bwyta 'Welsh Cake' ar ôl 'Welsh Cake' diflas, sych, jyst er mwyn plesio.

Ar ôl y deishen a'r te byddai'r teledu yn mynd ymlaen ar y dot am bedwar o'r gloch. Fyddai'r teledu ddim ond ymlaen os oedd rhaglen werth ei gweld arno, a doedd dim crwydro o amgylch sianeli am y byddai'n rhaid codi o'r sêt i wneud hynny. Bydde Wendal ac Emlyn yn cynnu bobo sigarét a byddai'r sgwrs yn dechrau. Yr un sgwrs gychwynnol fwy neu lai oedd gyda nhw bob wythnos.

'Gwêd wrtha i nawr Wendal, p'un sy' well gyda ti, *World of Sport* gyda Dickie Davies neu *Grandstand* gyda Frank Bough?'

Cwestiwn dwfn gan Mr Jones y pregethwr fyddai'n cychwyn y sgwrs.

'Wel i fi, twel, Dickie Davies sydd orau, a ma' *World of Sport* mwy am y gwithwrs.' Ateb cadarn Wendal.

'Sa funud nawr Wendal, ti'n anghofio bod y rygbi mla'n ar *Grandstand* a ma rhaid cofio mai rygbi yw gêm fawr dynion rownd fan hyn.' Dadl gadarn Emlyn.

Byddai'r sgwrs gychwynnol fel 'se nhw'n gweithio lan am gynnwrf yr ornest fawr. Byddai hefyd yn amser am y wisgi cyntaf. Ond cyn agor y botel byddai Wendal yn gofyn,

'Nawrte bois, odych chi'n clywed rhywbeth?'

'Mae'r gloch yn canu Wendal.'

Dyna fyddai ateb y ddau gyfaill yn unsain. Yna byddai Wendal yn estyn y wisgi. O botel o Bells, wrth gwrs. Yr un jôc bob wythnos.

Roedd gan yr ymladdwyr enwau diddorol:

Giant Haystacks. Pedwar deg wyth stôn o ddyn gydag agwedd anffodus. Wastod yn colli.

Big Daddy. Tri deg pum stôn ac yn arbenigo ar lanio ar ben y gwrthwynebydd o'r rhaff dop. Wastod yn ennill. Dyn neis o'r enw Shirley Crabtree yn y byd go iawn.

Kendo Nagasaki. Y reslwr dirgel oedd wastad yn gwisgo mwgwd (un tshêp coch tebyg i Spider-man). Roedd pawb yn ceisio tynnu mwgwd Kendo druan.

Mick McManus. Y Gwyddel caled, cas. Arbenigo ar fwrw gwrthwynebydd o'r cefn yn ei ben er bod pawb yn gweiddi, 'Watch out!'

Rollerball Rocco. Ffefryn Wendal a'i ffrindiau. Y dyn bach oedd wastod yn llai na'i wrthwynebydd ond oedd wastod yn goresgyn hyd yn oed ar ôl cael saith lliw o faw wedi'i fwrw mas ohono fe druan. Mewn camgymeriad enfawr un prynhawn Sadwrn fe wnes i ddweud y peth anghywir.

'Da-cu ...'

'Beth, was?'

'Ma Wyn Lewis yn yr ysgol yn gweud bod hwn i gyd yn ffics.'

Gallech chi dyngyd bo fi wedi rhegi neu ddweud rhywbeth ofnadw am Dduw neu Iesu Grist neu Mary Hopkin. Fe aeth y stafell yn dawel heblaw am beswch parhaol Emlyn oedd heb newid brand o Capstan i Woodbine.

'Nawr 'te Neil bach, gad i fi weud wrthot ti. Ma' hwn yn National Television a ma' miliyne o withwrs yn wotsho hwn dros y wlad i gyd. Odyt ti wir yn meddwl bydde Dickie Davies yn gatel nhw i dwyllo ni gyd gyda rwbeth sydd yn ffics?'

'Ond pam ma Big Daddy a Rollerball Rocco wastod yn ennill, Da-cu? A pam ma Giant Haystacks a Mick McManus wastod yn colli?'

I ladd yr amheuon, byddai Mr Stanley Jones y pregethwr yn ymyrryd gan ddefnyddio llais y pwlpud.

'Mae'r da bob amser yn trechu'r drwg, fy machgen i.'
Dy'ch chi ffaelu dadlau â llais y pwlpud. Roedd yn swnio fel bod y neges yn dod yn syth o enau Duw. Felly dyna fe, doedd y reslo ddim yn ffics. Amen.

Erbyn diwedd ei oes roedd Wendal, druan, yn dost. Roedd ganddo salwch meddwl ac roedd yn dioddef o iselder. Yr adeg honno, y teulu fyddai'n carco am yr hen bobl a bu Wendal yn byw ym Min y Rhiw tan y diwedd. Roedd hwn bownd o fod yn straen ar Mam-gu. Ond dyna'r ffordd yr oedd pethau.

Roedd Wendal fod gymryd tabledi yn ddyddiol i reoli ei hwyl a'i dymer ond roedd e'n styfnig ac yn gwrthod eu cymryd. Roedd y teulu i gyd yn gwybod bod Wendal a fi'n agos, felly yn ystod adegau pan odd e'n lletchwith, bydden nhw'n galw amdana i jyst i eistedd gyda fe am ychydig fel bo fe'n tawelu. Doedd e ddim yn chware lan o 'mlaen i. Y drefn oedd bod Wendal yn cael llonydd i ddarllen yn y parlwr a finne'n eistedd yno yn wotsho'r teledu. I ddweud y gwir, roedd hynny'n siwto ni'n dau am bo fi'n cael llonydd hefyd. Ar ôl iddo fe setlo byddai Mam-gu yn dod â dishgled mewn iddo.

'Dishgled fach o de, Wendal?'

'Na fe, gwd. Gadewch e fynna plîs.'

Ond fydde' fe ddim yn yfed y te, ac ar ôl iddo fe oeri bydde fe'n twlu pip dros y papur newydd a rhannu'r gyfrinach gyda fi.

'Ti'n gweld was, wy'n gatel i'r te fynd yn oer fel bo fi ffili yfed e. A fi'n gorfod neud hyn achos ma nhw'n rhoi'r tablets yn y te, tweld.'

'Oce, Da-cu.'

Rhesymeg eitha da i grwt naw oed. Ond wedyn byddai'r tân gwyllt yn dechrau wrth i Mam-gu ddod nôl i'r stafell.

'Wendal, smo chi wedi yfed y te ma!'

'Na fi'n gwpod, ma' fe'n oer ac yn llawn poison.'

Byddai Mam-gu druan yn mynd â'r cwpan llawn allan o'r

stafell a byddwn i'n synhwyro bod y dagrau'n dechrau llifo yn y gegin. Amser caled. Tostrwydd meddwl. Creulon.

Mae'r M4 heddi'n croesi afon Tawe yn agos iawn at fannau pysgota Wendal a fi. Ambell waith, wrth yrru dros y bont rwy'n gweld pysgotwr yn sefyll yn yr afon yn pysgota pluen. Yr adeg 'ny rwy'n meddwl am eiriau Wendal.

'Ma'r boi na'n bratu amser. Dim ond y llysywod sy'n cnoi ar y Tawe heddi.'

3.
Fy nhad

Mynd i fod yna

Pan fod pethe i weld yn ddu
Neb yn gwrando arno ti,
'Wy'n mynd i fod 'na
Wel dibynna arna i,
Ni fel un twel, ti a fi
Fi'n mynd i fod yna.

Cytgan:
Fi'n mynd i fod yna i hebrwng ti drwy'r storm,
Fi'n mynd i fod yna i hebrwng ti drwy'r glaw,
Fi'n mynd i fod yna pa bynnag beth a ddaw.

Pan fo'r ysgol yn troi'n fwrn
Ofni'r bwli cas a'i ddwrn,
Fi mynd i fod 'na.
A phan dy fod yn hŷn
A'r bòs yn gwneud ti'n flin
Mae'n well i rhannu baich
So pwysa ar fy mraich;
Fi'n mynd i fod 'na,
Fi yn dy gornel di,
So pwysa arna i.

Fy nhad yn mwynhau eisteddfod

Roedd Nhad yn dipyn o ddyn. Dyn llwyddiannus oedd wedi cyrraedd yr uchelfannau yn ei yrfa, o gefndir cymharol dlawd o ran pethau materol ond oedd yn gyfoethog o ran gwerthoedd a'r pethau pwysig.

Roedd yn lwcus fod ganddo rieni gweithgar oedd yn dwlu arno. Fe etifeddodd y cryfder cymeriad oddi wrth ei fam, cryfder corfforol oddi wrth ei dad a'r dyheadau moesegol cadarn gan y capel.

Ei dad oedd David John Rosser a fagwyd yn ardal Peniel Green, Llansamlet. Roedd yn weithiwr yn un o'r ffwrneisi niferus oedd ar hyd gwaelod Cwm Tawe yn ymestyn o'r Hafod i Glydach. Erbyn y 1950au, roedd mwyafrif gweithfeydd copr yr ardal – a elwir yn 'Copperopolis' – wedi diflannu ac yn eu lle roedd y gweithfeydd tun a sinc. Gwaith mwyndoddi sinc (smeltering) oedd y Swansea Vale Spelter Co. yn Winsh Wen a dyna lle roedd Tad-cu John yn gweithio fel dyn ffwrnes.

Doedd ganddo ddim uchelgais na dim awydd dyrchafiad i fod yn fforman yn y cwmni. Roedd y gwaith o flaen y ffwrneisi yn galed ac yn beryglus. Roedd hefyd yn afiach gyda'r mwg a gynhyrchwyd yn y broses o fwyndoddi sinc yn llawn plwm a pheth arsenic. Mae yna stori leol fod yn rhaid dymchwel muriau'r hen weithfeydd yn gyfan gwbl am fod cerrig y walydd mor wenwynig. Does dim olion o'r gweithfeydd sinc ar ôl o achos hyn.

Mae'r pris sydd wedi'i dalu gan drigolion gwaelod Cwm Tawe o achos y diwydiannau metal yn enfawr. Roedd anadlu'r mwg trwm a gynhyrchwyd gan y broses o fwyndoddi sinc yn achosu bronchitis ond yn waeth am fod y mwg yma yn cynnwys plwm. Roedd yna ddywediad lleol fod gweithiwr yn 'diodde gyda'i nerfau' neu 'nerfs y diawl' yn awgrymu gwenwyno gan blwm.

Mae llygredd y mwg sylffwr a grëwyd gan y gweithfeydd copr a thun yn gyntaf ac yna mwg plwm y gweithfeydd sinc wedi creu niwed ofnadwy i'r amgylchedd lleol gyda thyfiant a gwyrddni dim ond yn gymharol ddiweddar wedi dychwelyd i fynydd Cylfei a hen arddwyr yr ardal yn cwyno mai 'blode bach' oedd yn tyfu Bon-y-maen. Yn ddiddorol, roedd meistri'r gweithfeydd yn sicrhau fod eu tai wedi lleoli yn ochr y Mwmbwls o'r dre gyda awel iach y môr yn bell o fwg gwenwynig ochr Treforys o'r dre.

Roedd ei waith dyddiol o flaen y ffwrneisi wedi gwneud ei gorff yn denau ac yn gyhyrog gyda'r breichiau yn frith o wythiennau amlwg. 'Dim owns o wast'. Fi'n cofio fe'n tynnu ei grys un diwrnod crasboth o haf wrth ei waith yn yr ardd ac yn dangos ei freichiau gyda'r gwythiennau glas yn amlwg fel hen fap yn dangos rhwydwaith o hewlydd.

'Tad-cu, chi'n edrych fel Tarzan,' oedd fy sylw.

Ei fam oedd Anita Rosser, yr hynaf o bump o blant. Magwyd Anita yng Ngwynfa, Bonymaen mewn siop, a'i thad yn hollol ddall. Roeddent yn bobl grefyddol iawn fyddai'n cynnal gweddi deuluol bob nos. Roedd Anita'n fenyw gref oedd yn helpu yn y siop ac yn gorfod coginio a glanhau'n ddyfal o oedran ifanc.

Gweddïai'n gyhoeddus yng nghapel Ebeneser, Llwynbrwydrau, a darllenai'r Beibl yn ddyddiol.

Roedd Nhad yn unig blentyn ac yn cael llawer o sylw. Pasiodd ei 'eleven plus' i fynd o Ysgol Gynradd Lôn Las i Ysgol Ramadeg y Bechgyn, Glanmôr. Roedd ei fryd ar fod naill ai'n feddyg, yn weinidog neu'n ganwr proffesiynol, ond byddai unrhyw un o'r gyrfaoedd hyn wedi bod yn rhy gostus i fab y ffwrneisi. Aeth i Abertawe yn 16 oed a cherdded mewn i swyddfa cyfrifydd a gofyn am waith. Bu'n gweithio yno nes mynd i gwmni Deloitte, Plender and Griffiths. Roedd yn rhaid i'w rieni dalu am ei erthyglau er mwyn iddo gymhwyso fel cyfrifydd ac nid oedd yn ennill cyflog ar ddechrau'r yrfa.

Cyn i'r yrfa newydd gael amser i ddatblygu cafodd yr anlwc o ddal y clefyd Tuberculosis, neu TB, a oedd bryd hynny'n gallu bod yn farwol. Diolch i ddatblygiad cyffur newydd o'r enw Streptomycin a gofal doctor ifanc lleol o'r enw Dr Winfred Lloyd, a barhaodd yn ffrind oes iddo, fe gafodd wellhad. Roedd yr hyn a ddilynodd o'r dechreuad anodd yma i'w yrfa yn anhygoel. Mae'r CV o'i gyraeddiadau yn darllen fel hyn:

Fe wnaeth orffen yng nghwmni Deloitte yn 1985 fel un o'r pum prif bartner yn Llundain. Yn ystod y 70au roedd yn Gadeirydd Cyngor Economaidd Cymru ac yn sgil ei waith ar effaith ymuno â'r Undeb Ewropeaidd ar Economi Cymru fe gafodd ei anrhydeddu yn 'Syr' yn 1975. Bu hefyd yn Gadeirydd grŵp HTV ac yn Llywydd Prifysgol Cymru Aberystwyth, swydd oedd yn llafur cariad iddo gan nad oedd wedi bod i'r Brifysgol.

Fel canwr roedd ganddo lais bas bariton ac roedd yn hoff iawn o unawdau opera ac oratorios. Llais Nhad yn canu opera oedd y cloc larwm yn ein tŷ ni. Roedd yn amhosib aros yn y gwely ar ôl saith o achos fod 'Why do the nations sing?' neu'r 'Messiah' yn blastio drwy bob wal. Yn ddyn ifanc, fe hoffai fynd i neuadd ddawns yr Empire yng Nghastell-nedd lle llwyddodd i gael gwaith yn canu gyda Joe Berni's Big Band. Y tâl oedd hanner coron. Fe gadwodd e hyn yn gyfrinach. Fydde fe byth am i ni feddwl bod canu am arian yn unrhyw beth i ni ei ystyried.

Dyn ei filltir sgwâr oedd Nhad. Ar ôl priodi Mam fe

adeiladodd dŷ ar dir ei dad yng nghyfraith, sef Tad-cu Wendal. Gelli Fedw yw'r enw Cymraeg ar yr ardal sydd ar waelod Cwm Tawe lle cododd e'r tŷ a'i alw'n 'Corlan'. Mae Gelli Fedw yn swnio'n eithaf gwledig ond doedd e ddim. Dwy filltir o Dreforys i un cyfeiriad a dwy filltir o Glydach i'r cyfeiriad arall. Lle poblog ôl-ddiwydiannol a bishi, ond roedd Nhad yn hapus ymysg brodorion dosbarth gweithiol gwaelod y cwm. Doedd e ddim yn broblem iddo fe fyw mewn ardal o'r fath. Er ei fod yn ddyn cyfoethog erbyn y canol oed, roedd e'n gwario arian fel dyn tlawd ac yn anghyfforddus iawn gydag unrhyw fath o foethusrwydd a gwastraff. Doedd gyda ni'r teulu ddim syniad ein bod ni'n freintiedig o achos ei agwedd tuag at arian ac felly roeddem ni hefyd yn gartrefol mewn ardal dosbarth gweithiol.

Roedd Nhad bob amser yn dweud ei fod yn gweithio'n galed er mwyn rhoi'r cyfle gorau i ni, ac roedd hyn yn berffaith wir. Cawsom bob cyfle posib. Roedd hefyd yn 'slafo', achos 'slafo' oedd ei fwynhad. Roedd yn byw am ei waith. Roedd yn anobeithiol ar unrhyw fath o weithgaredd hamdden – yn 'workaholic' llwyr. Ei ddileit oedd wisgi bach ar ôl diwrnod o waith corfforol.

Roedd perthynas Nhad a fi yn un anodd. Roedd e wedi gorfod brwydro am bopeth ac wedi llusgo'i hunan lan heb gefnogaeth ariannol na chysylltiadau. Roeddwn i ar y llaw arall wedi cael pob cyfle ond yn dangos ychydig iawn o ddiddordeb yn fy ngwaith ysgol. Yr unig ddau bwnc ysgol ddangosais i unrhyw ddawn ynddynt oedd cerddoriaeth a gwaith coed. Roedd yn anodd iddo fe gael mab oedd nid yn unig ddim am ddilyn yn ôl ei droed ond oedd heb ddim gobaith caneri o wneud hynny chwaith. Roedd yn anodd i fi hefyd i fyw dan bwysau ei ddisgwyliadau a'i uchelgais afresymol.

Rwy'n un o dri o blant. Mae gennyf chwaer hŷn o'r enw Betsan a chwaer ifancach o'r enw Mari. Duw a ŵyr pam ges i ddim enw Cymraeg, ond dyna fe sbo. Mae fy nwy chwaer yn alluog ac yn academaidd ac aethant ymlaen i ddilyn gyrfaoedd llwyddiannus ym myd meddygaeth a'r gyfraith. Fi'n cofio Betsan (y meddyg) yn dweud wrtha'i ei bod yn gallu darllen llyfr meddygol a chofio'r ffeithiau'n syth. Nid oedd Nhad mor lwcus gyda fi; nid oeddwn yn rhagori yn unrhyw agwedd o fywyd ysgol. A dweud y gwir, byddai fy ymddygiad yn cael ei ddisgrifio'n 'heriol' y dyddiau hyn. Mewn geiriau eraill, crwt drwg oeddwn i.

Penderfynodd Nhad mai disgyblaeth a gwaith corfforol oedd y ffyrdd gorau i ddysgu ei fab am werthoedd pwysig bywyd. A chan ei fod yn hoff iawn o weithio ac yn casáu amser hamdden roedd y cynllun yn ei siwtio fe hefyd. Helpu Nhad ar ei brosiectau DIY oedd yn mynd â'n hamser ni ar y penwythnosau.

Roedd prosiectau DIY Nhad wastad yn uchelgeisiol, yn bell y tu hwnt i lefel y sgiliau oedd gyda ni ac yn cael eu gwneud heb wario gormod o arian. Roedd yn hoff o gynllunio'r job yn ofalus. Roedd yna uchelgais i greu rhywbeth mawreddog ar y diwedd ac roedd yna frwdfrydedd ac egni yn mynd mewn i ddechrau'r gwaith. Ond yr un fyddai'r canlyniad ar ôl ychydig o wythnosau sef jobyn gweddol yn unig ar ôl i Nhad redeg allan o amynedd ac arian.

Mae'n anodd cyfleu pa mor uchelgeisiol a hollol amhosib eu cwblhau oedd prosiectau DIY Nhad. Wna'i geisio drwy ddisgrifio un o'i syniadau mwya boncyrs. Yn 1975 fe sylweddolodd fod gen i dipyn o ddiddordeb mewn pysgota, ac ar gefn hyn fe benderfynodd ei fod yn mynd i greu pownd yn y cefn i ddal pysgod. Dim byd anarferol am hynny sbo, ond nid pownd crwn pedair troedfedd o ddiamedr i ddal tri physgodyn aur oedd mewn golwg ond yn hytrach pwll ffermio brithyllod, ie, 'trout farm' yn yr ardd gefn. Roedd am symud mewn i'r busnes ffermio brithyllod ac roedd yn hollol hyderus o lwyddiant y fenter am fod yna alw am frithyllod brown a dim digon o gyflenwad o bysgod gwyllt i ateb y galw.

Er yn ddim ond deng mlwydd oed, fe dries i ddarbwyllo Nhad am ffolineb y fenter. Yn gyntaf, nid oedd ganddo unrhyw brofiad o ffermio pysgod. Yn ail, roeddem yn byw chwe milltir o ganol dinas Abertawe. Ac yn drydydd, doedd dim pwll gyda ni i ddal y pysgod.

'Grinda nawr was, fi wedi darllen lan ar hwn a does dim lot iddo fe. 'Na'i gyd sy ishe ar bysgodyn yw ocsigen a bwyd. Smo nhw'n mynd i wybod bo nhw mewn pownd mewn gardd gefn yn Abertawe. Gallen nhw fod yn oifad rownd mewn afon yn Highlands yr Alban cymaint ma' nhw'n deall. Smo pisgodyn yn gwybod ble'r yffarn ma fe, a phaid becso bod dim pownd gyda ni achos ni'n mynd i fildo un mas y bac.'

A dyna ddechreuad y fenter ffermio pysgod. Am y pedwar mis nesaf aeth Nhad a fi ati i adeiladu'r pownd. Roedd gan Tad-cu Wendal domen fawr o gerrig naturiol yn ei ardd gefn y drws nesaf i ni oedd e wedi eu cael o rywle ac roedd y rhain yn mynd i neud wal naturiol i'r pwll. Roedd yn mynd i osod blociau concrid wedi eu trin a'u selio gyda stwff oedd Wendal yn gallu ca'l gafael ynddo yn rhad ar gyfer y tu fewn. Roedd yna ddau bwll i fod gyda phwmp trydan yn symud y dŵr yn barhaus o'r pwll isaf llai i'r pwll mawr. Yn ôl beth oedd Dad wedi'i ddarllen, roedd cael y dŵr i lifo o un pwll i'r llall yn angenrheidiol er mwyn ocsigeneiddio'r dŵr. Nid oedd ganddo unrhyw gynllun penodol o ran siâp a dyfnder y pwll heblaw'r darlun oedd gyda fe yn ei ben. Ond roedd yn gwybod sut i adeiladu wal ar ôl codi un yn Corlan.

Roedd Nhad wrth ei fodd yn adeiladu'r pownd pysgod. Fi'n cymysgu'r sment a fe'n gosod y blociau ar gyfer y wal tu fewn ac yna cerrig naturiol ar gyfer y wal tu fas. Dw'i ddim yn ei gofio fe mor ddiddig â'r misoedd hynny, er na fyddai'r tymer byth yn bell iawn o dan y wyneb, yn enwedig pan fyddwn i'n dechrau chwerthin. Gwyddwn pan fyddai mewn hwyliau da achos byddai'n dechrau canu. Y llais bariton pwerus yn mynd fflat owt er mawr embaras i bawb am fod gyda ni gymdogion agos. 'Dafydd y Garreg Wen' ffwl blast oedd ei ffefryn tra wrthi'n gweithio.

Dw'i ddim yn deall pam, ond roedd yna ryw ddrygioni ynof fi oedd yn fy ngorfodi i chwerthin pan fydde rhywbeth yn mynd o'i le gyda gwaith adeiladu Nhad. Un prynhawn dydd Sul roeddwn i'n ceisio symud carreg enfawr oedd yn mynd i fod mewn man canolog ar wal y pwll isaf. Dechreues i chwerthin, yn ôl yr arfer, a bron colli gafael ar y garreg.

'Paid â blydi wyrthin! Paid â blydi wyrthin!' medde fe.

Ond roedd hi'n rhy hwyr ac fe wnes i ollwng y garreg ar fys

bach ei droed chwith. Dechreuodd hopan rownd yr ardd mewn poen, ac yn anffodus i fi roedd hwn yn neud y chwerthin yn waeth. Trodd ar ei sowdwl (y droed oedd yn dal yn iach) a mynd amdana'i. Rhedes i waelod yr ardd a dros y wal bedair troedfedd oedd rhyngtho gardd Corlan a gardd Mr Thomas y cymydog. Ar ôl rhyw awr o eistedd yng ngardd Mr Thomas, fe benderfynais fentro nôl i'r tŷ. Roedd Nhad yn y gegin gyda'i droed mewn padell o ddŵr oer.

'Sgwl beth ti wedi neud! Blydi twpsyn, yn blydi wyrthin felna!'

Tynnodd ei droed mas o'r badell a'i chodi lan yn yr aer. Roedd y bys bach tua dwywaith y maint arferol erbyn hyn.

'Sori Dad!' oedd yr unig beth ddaeth i'r meddwl.

'Sori! Sori! Gei di sori!' (Fi byth wedi deall pam roedd pobl adeg hynny'n dweud 'Gei di' am bopeth. Ond dyna beth fydden nhw'n ddweud.)

Bore trannoeth daeth Nhad mewn i fy stafell yn canu'r 'Messiah' ffwl blast. Yn amlwg, teimlai'n well.

'Bore da was! Mae'n fore ardderchog i weithio ar y pownd.'

Oedd, roedd mewn hwyliau rhyfeddol o dda o ystyried y siâp oedd ar fys bach ei droed chwith. Roeddwn yn gobeithio ei fod wedi maddau'r digwyddiad gyda'r garreg. Ond na.

'Sgwl ar y mess ti wedi gwneud o'n nhro'd i!'

Roedd picil yr yffarn ar droed chwith Nhad. Roedd y bys bach dros ddwywaith y maint arferol erbyn hyn ac roedd yn lliw piws golau fel grepsen ifanc.

'Os ishe chi fynd at y doctor?'

'Doctor? Beth yffarn ma doctor yn mynd i neud?! Sdim ishe mynd at ddoctor o achos claish bach, w. Fi'n mynd i wisgo welis heddi. Ma bach mwy o le yn rheiny. Nawrte, mae'n amser i ti gwnnu a dod i helpu fi, a gad dy ffŷs.'

Daeth y pwll ymlaen yn dda yn dilyn y digwyddiad anffodus gyda'r garreg, ac i ddweud y gwir roedd y walydd wedi'u hadeiladu'n dda. Roedd y wal fewn a'r wal allanol yn ffurfio un wal dwy droedfedd o drwch a thair troedfedd o uchder. Roedd yna ddigon o sment trwchus rhwng y ddwy wal. Rhaid cyfaddef fod yna ambell i 'Welsh cake' oedd Ynti Carlen wedi coginio yn y sment hefyd, ond doedd hi ddim i wybod ac roedd hi'n hapus gweld y plât yn mynd nôl yn wag.

Ar ddiwedd gwyliau haf 1975 yn dilyn pum wythnos o adeiladu ar benwythnosau roedd y pwll yn barod i'w lenwi. Roedd yn dipyn o strwythur. Rhwng y pwll uchaf mawr a'r pwll isaf llai roedd wedi mynd â deunaw metr sgwâr o'r ardd gefn. Roedd yna bibau yn gadael i'r dŵr lifo o'r pwll mawr i'r pwll llai ac yna byddai'r pwmp yn pwmpio'r dŵr nôl lan drwy system arall o bibau i'r pwll mawr. Anhygoel, a heb unrhyw gynllun ymlaen llaw.

Cymerodd y pwll ddau ddiwrnod i lenwi ac er mawr syndod i bawb (heblaw Nhad) roedd y pwll yn dal dŵr. Cafodd Wendal afael mewn pwmp o rywle a chawson ni drydanwr iawn i'w gael i weithio'n iawn. Diolch byth, roedd Nhad yn ddigon call i beidio potsian gyda thrydan.

Cyrhaeddodd y brithyll mewn dau danc mawr plastig ar gefen fan. Roedd yn fater o gario'r tanciau rownd i gefn y tŷ, arllwys y dŵr a'r pysgod bach modfedd o hyd mewn i'r pwll, troi'r pwmp ymlaen a dyna fe. Roedd gyda ni fferm brithyll mas y bac.

Roeddwn i wrth fy modd gyda'r holl beth. Fy jobyn i oedd bwydo'r pysgod bach yn ddyddiol, gwneud yn siŵr bod dim tyfiant gwyrdd ar wyneb y dŵr a glanhau ffilter y pwmp yn achlysurol. Daeth y brithyll bach ymlaen yn grêt. O fewn chwe mis roeddynt wedi dyblu mewn maint ac erbyn gwanwyn 1976 roeddynt wedi cyrraedd pedair modfedd o hyd.

Yna trychineb. Haf 1976 oedd y cynhesaf ers ugain mlynedd; dim glaw ers wythnosau a lefel y dŵr yn y pwll pysgod yn disgyn yn ddyddiol. Am gyfnod buon ni'n topio lan y pwll gyda dŵr o'r tap tu allan â hose pipe. Ond fe ddaeth yna rwystrau defnyddio dŵr er mwyn arbed hynny o ddŵr oedd ar ôl yn y cronfeydd. Roedd lefel y dŵr yn ein pownd wedi cwympo o dan ddwy droedfedd pan dorrodd y pwmp.

Des i adre o'r ysgol un prynhawn a mynd allan i fwydo'r pysgod a gweld bod nifer ohonynt yn arnofio ar wyneb y dŵr yn y pwll mawr yn farw. Doedd dim sŵn gyda'r pwmp trydan a doedd dim dŵr yn llifo o'r pwll mawr i'r pwll bach. Roedd y pysgod oedd yn dal yn fyw i gyd yn agos i'r wyneb gyda'u pennau bach bron â bod allan o'r dŵr. Roeddynt yn mogi o achos diffyg ocsigen.

Roedd Nhad yn gweithio bant yn Llundain ond fe wedodd wrth Mam ar y ffôn i gysylltu â phob trydanwr lleol i geisio cwiro'r pwmp. Fe ddywedodd wrthi hefyd am anwybyddu'r rheol am 'hose pipe ban' ac i geisio cael cymaint o ddŵr newydd mewn i'r pwll ag oedd yn bosib gydag un tap tu fas ac un *hose pipe*.

Roedd y mwyafrif o'r pysgod yn y pwll bach yn dal yn fyw, felly am oriau bues i yn y dŵr yn gwneud y weithred fwyaf torcalonnus o geisio symud y brithyll bach o'r pwll mawr i'r pwll bach gyda sosban tra roedd Mam yn ceisio llenwi'r pwll mawr â dŵr. Cafodd Wendal afael mewn trydanwr i drwsio'r pwmp, ond roedd yn rhy hwyr. Ar ôl dwy awr o geisio symud y brithyll fe ddechreuodd y rhai oedd yn y pwll bach drengi hefyd, ac yn fuan roedd y cwbl lot yn farw.

Roedd yr holl beth yn frawychus i grwt unarddeg mlwydd oed. Daeth Nhad adre o Lundain y noson wedyn ac roeddwn yn grac gyda fe am beidio bod yno i geisio'n helpu ni gyda'r 'Operation Save the Trout' fel roedd Tad-cu Wendal yn galw'r digwyddiad. Roedd agwedd Nhad yn oeraidd iawn tuag at yr holl beth.

'Na fe, sdim byd i neud boi. Dechreuwn ni lanw'r pyllau na mewn dydd Sadwrn. Gallwn ni droi'r ddou bwll mewn i batio acha dou lefel. Bydd e'n edrych yn grêt a bydd mwy o le gyda ni i ishte mas yn yr haf.'

A dyna sut buodd hi. Claddon ni dros gant o frithyllod o dan ardd lysiau Wendal a mynd ati i symud pridd ac unrhyw sbwriel oedd tu ôl y clawdd ar waelod yr ardd i ddechrau llenwi'r pyllau. Gadd Wendal afael mewn llond lori o 'top soil' o rywle ac am dri phenwythnos symudon ni dunelli o bridd o ardd Wendal mewn i'r pwll.

Unwaith eto roedd Nhad wrth ei fodd am fod gyda fe brosiect DIY arall i lanw pob munud pan nad oedd yn y swyddfa. Dysgais mai gweithio oedd y mwynhad iddo ac nid gorffen y prosiect. Dim ond fod yna 'brosiect' ar waith, roedd Nhad yn hapus.

4.
Problem hamdden mab y ffwrneisi

Dyn Dosbarth Gweithiol

Odd e'n cwnnu am chwech o'r gloch y bore
Lawr yn Ochr Treforys i'r dre,
Gwitho wyth awr o flaen y ffwrnes
Cyn wâc fach 'nôl tua thre.
Tasgu chwys o fla'n y tân,
Y meistr yn gweiddi mwy,
Gwitho shifft drwy'r oriau mân,
Anadlu sylffyr a nwy.

Cytgan:
Beth ddigwyddodd i'r dyn dosbarth gweithiol?
Beth ddigwyddodd i'r arwr Cymreig?

Rhegi'n Gymrâg drwy'r wythnos
Capel ar y seithfed dydd
I weiddi tenor gyda'r gorau,
Canu oedd yn cadw'r ffydd.
Breichiau cryf, calon feddal,
Gwneud cymwynas, rhannu baich,
Barod iawn i wneud cymwynas,
Cymuned oedd yn rhannu baich.

Mari, Betsan a fi

Mae'n anodd cyfleu pa mor anobeithiol oedd ymdrechion Nhad at fwynhau amser hamdden. Nid oedd ymlacio yn dod yn naturiol iddo o gwbl. Gwaith oedd ei fwynhad, yr ysfa ddiflino i gyflawni rhywbeth mawr gyda phob diwrnod newydd. Byddai'n ffoli wrth ddarllen am reolwyr pêl-droed fel Bill Shankly ac wrth ei fodd yng nghwmni dynion busnes fel Julian Hodge a chantorion fel Geraint Evans. Rhain oedd ei arwyr ac roedd yn gweld ei hunan fel aderyn o'r unfath yn yr ystyr ei fod wedi dechrau o ddim byd, fel nhw. Roedd yn uniaethu gyda phobl dosbarth gweithiol oedd wedi dangos penderfyniad i lwyddo yn erbyn y ffactorau.

Roedd wedi ymdrechu'n galed i fwynhau nifer o ddiddordebau wrth fynd yn hŷn, ond doedd yr un ohonynt yn rhoi'r un boddhad iddo â gwaith. Rhoddodd gynnig ar golff, ond âi'n grac am fod yna bellter afresymol rhwng y ti a'r twll a bod ganddo fe ddim ond pedair shot i gael y bêl mewn i'r twll hwnnw. Nid oedd chwaith yn hoff o gael golffwyr eraill yn gofyn iddo beth oedd ei handicap.

'This bloody game is a nonsense, Margaret. They keep on asking about how bad you are, and they call this a handicap.'

Byddai'n cwyno fel hyn wrth Mam ar ôl naw twll o rwystredigaeth. Parhaodd y golff am ryw flwyddyn neu ddwy nes iddo gwympo mas gyda chapten y clwb oedd yn mynnu ei fod yn chware pob twll yn y drefn gywir yn lle crwydro'r cwrs yn ware tyllau mewn unrhyw drefn a ddymunai.

Trodd at chwarae bowls ar ôl y golff, ac aeth hynny'n iawn am gwpwl o flynyddoedd. Ond nid oedd yn hoff o arddwyr y parc yn dweud wrtho fod ganddo sgidiau anaddas i'r lawnt.

'I told him Margaret, what's the difference between my dap and your dap? Surely a dap's a dap at the end of the day'.

Driodd e ddysgu cynganeddu ond roedd ei agwedd tuag at y bardd oedd yn cynnal y dosbarthiadau nos yn anffodus iawn.

'I will not be dictated to by a poet, Margaret,' meddai ar ôl un sylw negyddol am ei englyn.

Yn ystod fy arddegau roedd syniadau Nhad ar sut i fwynhau cyfnodau gwyliau teuluol yn amhleserus iawn i fi.

'Fi'n mynd i brynu bad!'

Hwn oedd datganiad Nhad un nos Wener ar ôl iddo gyrraedd adre o'i waith. Aeth yn grac yn gyflym iawn pan geisiodd Mam a fi esbonio wrtho fod rhaid deall y môr cyn mentro allan mewn cwch o unrhyw fath. Aeth Mam ymlaen i'w atgoffa nad oedd unrhyw hanes morwrol yn y teulu. Roedd yna ddigon o lowyr a dynion y ffwrneisi yn yr achau ond doedd neb erioed wedi mentro oddi ar dir sych. Roedd Nhad fodd bynnag yn benderfynol.

'Bydd y bad yn hen un ail-law a bydd Neil a fi yn gallu gweithio arno fe a'i neud e lan. Ni'n mynd i gadw'r bad lawr yn Aberaeron achos ma' nhw i gyd yn siarad Cymrâg yn Aberaeron, yn wahanol i'r Mwmbwls. Smo fi moyn catw bad gyda'r "uwchabove" yn Mwmbwls.'

Roedd yr 'uwchabove' yn air i ddisgrifio unrhyw rai oedd yn meddwl eu bod nhw'n well na phawb arall. Cyfuniad o 'uwch' ac 'above'. Ceisiodd Mam resymu gyda Nhad:

'Mel, we haven't got anywhere to stay in Aberaeron and it's at least an hour's drive. You'll be fed up after a month of travelling back and forth to work on a boat.'

Roedd Nhad wedi rhagweld ymateb negyddol Mam ac roedd yn barod gydag ail ran ei gynllun uchelgeisiol.

'Nawrte Margaret, fi wedi meddwl am hwnna a fi wedi gweld tŷ bach lawr yn Aberaeron sydd yn fargen. I weud y gwir ma' fe'n mynd yn tshep iawn achos ma ishe neud lot o waith arno fe. Ond sdim ots, gall Neil a fi neud y tŷ lan ar ôl inni orffen ar y cwch'.

O diar! Cynllun hollol afrealistig mewn dwy ran. Co ni off!

Prynodd Nhad y cwch am £400 ac er bod angen ychydig o waith arno, roedd yn grêt. Cadwodd y cwch yn y Pwll Cam yn Aberaeron, sef y darn bach o'r harbwr sydd yn cuddio rownd y gornel o'r prif harbwr. Roedd y cwch bach wedi'i angori drws nesaf i'r hen barlwr hufen iâ mêl oedd ar y cei. Wrth ochr y parlwr hufen iâ roedd grisiau'n mynd lawr o'r pafin ac i mewn i'r dŵr.

Roeddwn wrth fy modd yn gweithio ar y cwch. Ges i wared â'r holl wyrddni a'r tyfiant algae oedd o dan y bad drwy sgrwbio'n ddiddiwedd gyda rhyw stwff oedd yn neud i'r llygaid ddyfrio. Es i ati i sandio'r holl ddarnau pren oedd ar y cwch a'i baentio gyda farnis cychod. I orffen y jobyn fe wnes i baentio'r to dros y caban yn wyn a'r gwaelod yn 'marine blue'. Beth arall?

Cadwodd Nhad ei addewid ac fe brynodd dŷ yn Aberaeron oedd bron yn adfail. Roedd gweithio ar y cwch yn golygu bo fi ddim yn gorfod helpu fe a'r adeiladwyr oedd yn ail-wneud cegin y tŷ. Gweithiais yn slow bach ar y bad yn bwrpasol. Yn araf deg fe ddaeth i edrych yn grêt. Roeddwn yn browd iawn o'r gwaith.

'Ti wedi neud jobyn da ar y bad bach 'na was. Odi ti wedi meddwl am enw ?' medde Nhad ar ôl penwythnos o weithio ar y cwch.

'Sdim ishe enw, Dad, ma fe'n iawn gyda jest "Shetland" ar yr ochor'.

'Dim enw yw Shetland achan, Shetland yw enw'r cwmni adeiladodd y cwch. Na, ma ishe enw Cymrâg da ar y bad bach, a fi wedi meddwl am un grêt. Dylse ni alw'r bad yn Arafa Don.'

'Beth yffarn yw hwnna?' gofynnais ychydig yn grac am na allwn i ddeall arwyddocâd yr enw.

'Smo ti'n deall? Arafa don yw 'slow down wave' yn Susneg. Grêt w! A paid â blydi rheci.'

Yn fy marn i roedd syniad Nhad am yr enw yn anghywir ar bob lefel. Heb unrhyw brofiad o'r môr onibai am y fferi o'r Mwmbwls i Ilfracombe roedd Nhad am enwi fy nghwch bach i yn Slow Down Wave. Roedd y protestio yn ofer. Llwyddais i gael Nhad i addo mai person proffesiynol fyddai'n paentio 'Arafa Don' ar ochr y cwch, a dim fe yn potshan. Wrth lwc fe ymchwiliodd mewn i'r gost, ac roedd yn ffortiwn. Dyna ddiwedd ar yr enw Arafa Don. Ond roedd yna waeth i ddod. Roedd y cwch yn barod i fentro mas i Fae Ceredigion ac roedd

Nhad yn falch o'r gwaith llafurus oedd wedi mynd mewn i gymoni'r bad bach glas.

'Nawrte was, ma hwn yn jobyn grêt a ma gyda fi syrpreis i ti. Fi wedi prynu injan i'r cwch a ma hi'n cyrraedd fory. Wedyn byddwn ni'n gallu mynd mas i bysgota os fydd y tywydd yn ffein.'

'Pa fath o injan fydd hi, Dad?'

'Sai'n deall lot ond ma'r bois draw yn yr Yacht Club yn gweud bod hi fel newydd a bod pŵer yr yffarn ynddi hi.'

Nid oedd hwn yn swno'n dda i fi. Doedd Nhad yn deall dim am 'outboard motors' cychod. Ond roeddwn yn ei adnabod yn ddigon da i wybod mai pris yn hytrach na defnyddioldeb fyddai bob amser yn ennill y dydd.

Cyrhaeddodd yr injan drannoeth ar gefn trêlyr Ifor Williams ac roedd hi'n enfawr ac yn hollol anaddas ar gyfer ein cwch bach pysgota. Mercury oedd y gwneuthuriad ac roedd yn ddu gyda'r geiriau '50 HP' ar yr ochr. Roedd yna dri dyn wedi dod draw o'r Yacht Club i'n helpu ni i osod yr injan ar y cwch. Roedd Nhad yn gwenu o glust i glust ac yn awyddus i wybod popeth am yr injan.

'Beth ma'r 50 HP yn meddwl ar ochr y motor, bois?'

'Wel ma hwnna'n meddwl bod nerth hanner cant o geffylau yn yr injan yma. "Fifty horse power" ma hwnna'n meddwl. Ma' hynny'n golygu byddwch chi'n hedfan ar dop y dŵr.'

Roedd Nhad yn gwenu mwy fyth.

'Glywest di 'na, was? Hanner cant o geffylau o bŵer! Byddwn ni'n mynd fel cath i gythrel.'

Chwarddodd pawb heblaw fi. Roeddwn yn gwybod yn syth nad oedd hyn ddim yn mynd i droi mas yn dda. Cymerodd dri dyn i gario'r injan lawr y steps a'i gosod ar gefn y cwch. Dim ond troedfedd o ddyfnder dŵr oedd yn yr harbwr ar y pryd ac roedd pwysau'r peiriant yn golygu fod cefn y cwch nawr yn cyffwrdd y gwaelod tra roedd y trwyn lan yn yr aer. Roeddwn yn grac gyda'r ffaith fod y peiriant newydd hyll wedi trawsnewid golwg y cwch.

'Mae'n edrych yn stiwpid, Dad. Ma'r injan yn rhy fawr a rhy drwm i'r cwch. Sgwlwch, ma'r ffrynt yn stico lan yn yr aer nawr.'

'Gad dy ffỳs. Byddi di'n joio fory pan fyddwn ni'n hedfan ar dop y dŵr.'

Ar ôl cysylltu'r peiriant â'r cwch aeth un o'r dynion ymlaen i esbonio sut i ddefnyddio'r injan. Roedd yna ddolen yn y cwch ac roedd tynnu honno nôl yn gwthio'r cwch ymlaen tra oedd gwthio'r ddolen ymlaen yn golygu fod y cwch yn mynd sha nôl. Esboniodd y dyn bod hi'n bwysig cadw'r refs yn weddol isel cyn rhoi'r injan mewn i gêr – ymlaen neu sha nôl. Gorffennodd ei esboniad drwy ddweud fod yr injan yn un bwerus iawn, ac mai'n araf deg yn unig roedd pob cwch fod symud tra yn yr harbwr.

Bore trannoeth roedd yna ddigon o ddŵr yn yr harbwr, a'r llanw'n uchel am hanner dydd. Cerddodd Nhad a finne allan i'r cwch yn ein welis a'r llanw ar y ffordd mewn.

'Reit te, sa' di fanna tra bo fi'n mynd mewn a dechre'r injan.'

'Oti chi'n cofio beth wetws y boi ddo', Dad?'

'Otw, gad dy ffỳs.'

'Cofiwch gwthio'r lifyr ymlaen i fynd sha nôl. Cofiwch, refs isel Dad! Refs isel!'

Taniodd y bwystfil ar ôl tri thyniad ar y rhaff. Cododd cwmwl o fwg glas trwchus allan o'r injan a sŵn byddarol dipyn yn uwch na sŵn 50 ceffyl.

Gwaeddes i ar Nhad,

'Cofiwch, refs isel!'

Ond doedd y morwr newydd ddim yn mynd i wrando ar grwt 14 blwydd oed. Dechreuodd refio'r injan fflat owt. Roedd y sŵn a'r mwg wedi denu sylw nifer o bobl oedd yn eistedd ar ochr wal yr harbwr yn mwynhau hufen iâ. Gwaeddes i arno fe eto.

'Cofiwch taw nôl yw mlaen a mlaen yw nôl ar y gêrs!'

Nid oedd Nhad yn clywed nac yn becso dim. Ro'dd e fel plentyn gyda thegan newydd yn mwynhau'r sŵn a phŵer y 50 o geffylau a'r cymylau o fwg. Yna fe wnaeth y camgymeriad roeddwn i'n ei ddisgwyl. Gyda'r injan bwerus yn refio fflat owt fe dynnodd ddolen y gêr yn ôl ac fe neidiodd y cwch ymlaen a saethu lan y ddwy stepen isaf oedd wrth ochr y parlwr hufen iâ. Roedd y cwch nawr allan o'r dŵr heblaw am yr injan, oedd yn dal i refio ac yn ceisio gwthio'r bad lan y grisiau. Cwympodd y cwch i'r ochr a syrthiodd Nhad allan. Rhedes i draw a rhoi tair ergyd i'r botwm coch oedd ar yr injan. Stopiodd yr injan ar ôl y drydedd ergyd. Roedd Nhad nawr yn gorwedd ar y grisiau mewn sioc ac roeddwn i'n dal y cwch ar ei ochr rhag ofn iddo ddisgyn ar ei ben.

Roedd yna griw o bobl yn eistedd ar fainc wrth ymyl y grisiau yn bwyta hufen iâ. Roedd golwg o anghrediniaeth ar eu hwynebau wrth weld yr olygfa anhygoel. Er tegwch iddynt, ni chwarddodd neb. Ond gofynnodd un ohonynt os oedd angen help.

'Excuse me, is everything all right?'

Hwn oedd y peth olaf roedd Nhad am ei glywed. Roedd gan Nhad ddwy acen wahanol wrth siarad Saesneg ar gyfer gwahanol achlysuron. Roedd y gyntaf yn rhyw fath o 'educated Welsh' ac roedd yr ail yn 'Swansea talk' oedd yn gallu swnio'n fygythiol. Defnyddiodd yr ail acen i ateb y bwytawr hufen iâ.

'Yes, we're alright. Mind your own business and finish your bloody ice cream!'

Roedd hyn yn creu mwy o embaras fyth i mi. Nid yn unig yr oedd wedi llwyddo i greu sefyllfa gomedi i'r ymwelwyr niferus oedd o gwmpas yr harbwr yn bwyta hufen iâ ond nawr roedd wedi troi ar un ohonynt am gynnig helpu. Llwyddwyd i gael y cwch yn ôl i'r dŵr yn weddol hawdd. Roeddwn i'n barod i gerdded i ffwrdd a chefnu ar y cwch am byth.

'Well gadael hwn nawr Dad, chi siŵr o fod mewn sioc ar ôl cwympo mas o'r bad.'

'Nonsens achan! Fi'n iawn! Cawn ni shot arall nawr. Lwcus bod ni heb ollwng y rhaffau sy'n clymu cefn y cwch neu bydden ni lan ar y blydi pafin!'

Chwarddodd Nhad. Neis bod un ohonom yn gweld yr ochr ddoniol o bethe.

'Y "moorings" yw enw'r rhaffe 'na, Dad.'

'Moorings ife? Gei di blydi "moorings" mewn munud. Nawr, gad dy ffŷs a helpa fi i drial tano'r injan ma eto.'

Y tro hwn tanodd yr injan ar y cynnig cyntaf. Mwy o sŵn a mwy o gymylau glas a mwy o bobl yn troi i edrych beth oedd yn mynd ymlaen. Roeddwn yn benderfynol o'i gael e'n iawn y tro yma a dechreues weiddi cyfarwyddiadau i Nhad oedd â'r wên nôl ar ei wyneb.

Fe es i flaen y cwch er mwyn datgysylltu'r rhaffau blaen cyn bod ni'n symud bant. Ond cyn i fi gyrraedd roedd Nhad wedi gwthio'r lifer ymlaen gyda'r injan yn refio ffwl pelt. Saethodd y cwch nôl y tro hwn ond o achos fod y rhaff flaen yn dal yn sownd, neidiodd yr injan allan o'r dŵr nes ei fod yn llorwedd gyda'r propeler dur mewn ac yn sbinio'n wyllt. Neidiodd Nhad i ffrynt y cwch mewn ofn wrth weld y propeler yn sbinio yn yr awyr o fewn dwy droedfedd i'w drwyn. Neidiais i gefn y cwch a rhoi ergyd arall i'r botwm coch a marwodd yr injan. Eisteddodd y ddau ohonom ar lawr y cwch mewn sioc. Ar ôl munud o dawelwch, fi oedd y cyntaf i siarad.

'Chi'n fodlon gatel i fi neud yr injan o hyn ymlaen, Dad?'

'Otw. Na di fe te.'

Hwn oedd un o'r ychydig adegau wy'n cofio pan oedd Nhad yn fodlon ildio. Roedd yn amlwg mewn sioc ac yn sylweddoli pa mor beryglus oedd yr injan bwerus. Wedais i wrtho am fynd i ffrynt y cwch a datod y rhaff flaen ond i beidio gadael gafael yn rhy fuan. Tanies i'r injan mewn gêr niwtral a gyda refs isel.

Ar ôl dweud wrth Dad am ollwng y rhaff flaen, gwnes i lywio'r cwch sha nôl yn araf bach nes ei fod yn glir o'r Pwll Cam. Roedd wedyn yn fater o lywio'r cwch yn araf deg o'r harbwr ac allan i'r môr. Roedd Nhad wedi bod yn dawel drwy'r holl broses.

'Ble ddysgest ti neud hynna te?'

'Jest mynd slow bach, Dad'.

Roedd hi'n grêt bod allan ar y môr a dechreuodd Nhad ymlacio. Daflon ni linell pysgota mecryll dros yr ochr. Gweithiodd y pysgota yn dda am fod hynny'n gorfodi Nhad i fynd yn araf wrth y llyw. Roedd wedi dod dros y sioc nawr ac roedd i'w weld yn hapus yn llywio'r cwch nôl a blaen ryw filltir mas oddi ar draeth Aberaeron.

'Beth am i ni agor yr injan 'ma mas i ga'l gweld beth gall hi neud?'

'Na, Dad. Ni'n ffaelu achos dyw mecryll ddim yn gallu oifad yn gloi. Slow bach sy ishe ni fynd i ddala pysgod.'

'Ond smo ti wedi dala byger ôl.'

Doedd Nhad ddim yn bysgotwr, ond nid oedd yn mynd i ddadlau gormod yn dilyn y perfformiad ofnadwy yn yr harbwr. Yna fe ddechreuodd ail hanner y ddrama. Roeddwn wedi clywed y bois werthodd y cwch i ni'n dweud fod yn rhaid ei gael nôl i'r harbwr tuag awr ar ôl y llanw uchel. Roedd llanw uchel wedi bod am 1.00, ac roedd erbyn hyn yn 2.10 yn y prynhawn. Roedd rhaid dweud wrtho er mod i'n sylweddoli ei fod yn mwynhau.

'Well i ni fynd nôl i'r harbwr, Dad. Wedodd y bois i ni beidio gadael e mwy nag awr ar ôl amser y llanw uchel i gael y cwch nôl i'r *moorings.*'

'Ni'n iawn achan. Fi'n gallu gweld o fan hyn bod yna ddigon o ddŵr yn yr harbwr.'

'Ond Dad, allen ni fod yn styc mas 'ma am ddeuddeg awr arall os gollwn ni'r cyfle i gael y bad mewn.'

'Gad dy ffŷs nawr, plîs. Ma ishe ni ddala o leiaf un pysgodyn i ddangos i dy fam. Ni'n iawn am o leiaf hanner awr arall. Beth bynnag, gallwn ni wastad dynnu'r cwch lan ar y traeth a gatel e fanna nes bod y llanw mewn 'to.'

Roedd y syniad o lusgo'r cwch lan ar y traeth o flaen cannoedd o ymwelwyr a theuluoedd normal oedd yn bodloni ar chwarae pêl ar y traeth yn un brawychus. Dychmygais pa mor hapus fydden ni fel plant yn gwneud dim byd ond padlo a sblasho rownd yn y dŵr a bwyta hufen iâ ar ddiwrnod twym yn hytrach na gorfod mentro ar ryw antur beryglus neu brosiect uchelgeisiol drwy'r amser. Dries i ddweud am y tro olaf,

'Ond Dad, plîs, fi ddim moyn llusgo'r cwch lan ar y traeth. Fi moyn mynd nôl nawr'.

'Gad dy ffŷs! Fi wedi gweud. Hanner awr!'

Wrth gwrs, roedd yr hanner awr o oedi yn golygu bod y llanw'n rhy isel i gael y cwch nôl i'r Pwll Cam. Pan gyrhaeddon ni wal yr harbwr, dechreuodd yr injan gyffwrdd â'r llawr. Wedais i ddim byd. Roedd Nhad yn fwy positif am ein picil newydd a daeth lan â syniad o sut i gael y cwch nôl i'r *moorings*.

'Reit, sdim ots am y llanw. Gallwn ni neidio mas o'r cwch a tynnu fe nôl lan yr afon ac wedyn clymu fe lan i un o'r cychod eraill nes bod y llanw'n dod mewn eto.'

Hwn oedd yr ateb gwaethaf posib o'm safbwynt i. Yn gyntaf roedd gwaelod yr afon yn gymysgedd o gerrig a mwd, a thra roedd Nhad yn gwisgo welis, dim ond par o Adidas Sambas oedd gyda fi ar fy nhraed. Yn ail, roedd afon Aeron yn llifo reit trwy ganol yr harbwr, ac ar un ochr i wal yr harbwr oedd gwesty'r Harbourmaster, lle prysur iawn ar ddiwrnod twym ym mis Awst. Weithiau byddai hyd at 30 o bobl yn eistedd ar y wal y tu allan yn mwynhau peint ac yn edrych mas ar olygfa bert yr harbwr. Nid oedd unrhywbeth yn mynd i baratoi yfwyr yr Harbourmaster am yr olygfa oedd i ddod.

'Dere, gad dy ffŷs. Mewn â ni i'r dŵr. Af fi yn y ffrynt i dynnu, a cher di i'r gwt i sgwto.'

A dyna beth wnaethon ni. Cam wrth gam, yn araf bach, llusgo'r cwch lan yr afon yn erbyn y llif, gan gwympo bob deg eiliad ar ambell garreg slic oedd yn cuddio yn y mwd. Unwaith eto, anghrediniaeth yn hytrach na difyrrwch oedd yr olwg ar wep yr yfwyr oedd yn mwynhau peint ar wal yr Harbourmaster. Tynnodd Nhad y cwch fel dyn balch: pen lan, ysgwyddau nôl a brest allan. Gallech chi dyngu fod llusgo cychod lan afonydd yn rhywbeth oedd e'n neud yn ddyddiol a bod dim byd anghyffredin am yr arferiad.

Roeddwn i ar y llaw arall yn gwthio'r cwch gyda 'mhen lawr

ac yn osgoi edrych lan i gyfeiriad y dafarn rhag ofn bod rhywun o'r ysgol yn mynd i fod yno yn mwynhau gwyliau normal gyda'i rieni. Yna, jest pryd roeddwn i'n meddwl fod y gwaethaf drosodd a'n bod ni wedi mynd heibio'r dafarn heb un sylw comic gwaeddodd rhyw foi,

'You're meant to row them not drag them!'

Chwarddodd rhai o'r yfwyr. Roedd Nhad wedi rhagweld rhyw sylw doniol ac roedd yn barod gyda'i ymateb. Y tro hwn defnyddiodd yr acen 'Educated Welsh' yn hytrach na'i 'Swansea Speak'.

'I'll have you know that I'm a very good friend of the Cardiganshire Chief Inspector of Police and I will be informing him of the illegal activity of drinking in a public place without licence immediately.'

Grêt, meddyliais, i fynd gyda'r embaras roedd Nhad nawr wedi llwyddo i bechu hanner ymwelwyr y dre ynghyd â pherchennog tafarn mwyaf poblogaidd y dre. Roedd y bygythiad o gysylltu â ffrind uchel iawn yn yr heddlu yn un y byddai Dad yn ei ddefnyddio'n aml. O'dd dim o'i angen. Byddai sylw bach doniol yn ôl wedi bod yn ddigon. Cyrhaeddom ni'r man lle roedd hi'n amhosib llusgo'r cwch ymhellach.

'Sdim digon o ddŵr, Dad. Byddwn ni'n ffaelu cael y cwch nôl i'r Pwll Cam a'n moorings ni.'

'Na, ti'n itha reit. Beth wnawn ni yw clymu'r cwch lan yn saff i long arall. Clymwn ni fe lan i'r bad agosa nawr. Beth am hwn fan hyn – Daisy?'

Roedd Daisy yn edrych fel cwch drud iawn. Rhyw fath o gwch hwylio bach itha newydd gyda chaban oedd yn ddigon o seis i gysgu ynddo.

'Ond ni heb ofyn caniatâd, Dad, a smo chi'n gwbod pwy sydd bia Daisy.'

'Grinda nawr, ma'r holl gonan yma yn sbwylo'r prynhawn i fi. Ma pobl yn benthyg *moorings* ei gilydd drwy'r amser. Dyma beth ma pobl hwylio yn neud. Ma fe'n rhan o'r "sailors code". Bydd pwy bynnag sy bia Daisy yn deall yn iawn. Sais sy bownd o fod yn berchen bad o'r enw Daisy a ma fe siŵr o fod byth wedi mentro mas i'r môr yno fe.'

Anhygoel sut oedd Nhad wedi dyrchafu ei hunan i fod yn forwr profiadol ar ôl un diwrnod trychinebus ar y dŵr. Ond doedd dim byd i neud ac fe glymon ni flaen ein cwch ni i *moorings* Daisy.

'Na fe te, ma hwnna wedi'i neud. Ma ishe dishgled o de arna i. Ma' digon gyda ni i weud wrth dy fam am yr antur wych. Gobitho bo ti wedi joio cymaint â fi, boi.'

'Otw Dad. Yr unig beth yw, ni ffili gatel y bad fel hyn achos dim ond y ffrynt sy'n sownd. Pryd ddeith y llanw mewn, bydd y bad yn rhydd i fwrw mewn i Daisy.'

'Bydd e'n iawn achan, gad e fod.'

Roeddwn yn gallu rhagweld ein cwch ni yn arnofio o gwmpas yr harbwr ac yn bwrw mewn i gychod eraill. Roeddwn yn rhagweld cwympo mas gyda pherchennog Daisy a sawl achos yswiriant wrth i'n bad bach ni smasho mewn i gychod pobl eraill. Es i mewn i'r tŷ gyda Nhad a mynd i chwilio am fwy o raff yn y selar tra roedd Nhad yn adrodd am yr antur wrth Mam. Ffindes i raff a mynd nôl allan at y cwch a chlymu cefn y cwch i ddarn o hen tshaen oedd ar lawr yr harbwr.

Roeddwn wedi amcangyfrif y byddai'r llanw yn troi marcie pump o'r gloch ac felly byddai'r Pwll Cam yn dechrau llenwi gyda dŵr marcie wyth. Es i nôl allan y noson honno a symud y cwch nôl i'r Pwll Cam.

Roedd arbrawf Nhad gyda chychod drosodd yn gyflym iawn. Ddaeth e byth allan eto mewn cwch. Yn hytrach fe adawodd e fi i fynd allan i bysgota ar ben fy hun neu gyda ffrindiau. Doedd e wedi'r cwbl ddim yn gyfforddus gyda gormod o hamdden.

Collon ni Nhad yn 2001 ar ôl sawl trawiad ar y galon. Yn ddiweddar mae yna lythyr wedi dod i'r amlwg oddi wrth Balas Buckingham. Mae'n debyg ei fod wedi gofyn i'r Palas am gael derbyn yr anrhydedd 'Knight of the Realm' drwy gyfrwng y Gymraeg yn y seremoni. 'Na' oedd yr ateb ddaeth nôl mewn llythyr di-flewyn-ar-dafod oddi wrth gynrychiolwyr y

Frenhines. Cadwodd Nhad y llythyr yn gyfrinach tan ei farwolaeth. Enghraifft arall o'r cymeriad cymhleth oedd â sawl ochr iddo. Roedd yn breifat iawn ac yn garcus o'i deulu ar un llaw ond hefyd yn gallu bod yn uchel iawn ei gloch. Roedd yn gallu bod yn sensitif ond roedd yn gallu bod yn galed. Roedd yn ofalus wrth ei waith proffesiynol ond yn fyrbwyll ac yn wyllt wrth ei brosiectau DIY. Beth bynnag oedd Nhad, roedd yn gymeriad bythgofiadwy ac rwyf yn hiraethu am ei gwmni bob dydd.

5

Ochr Treforys o'r dre

'Dyw e ddim yn rhy bert, 'dyw e ddim yn rhy hardd,
Mae wedi bod yn ysbrydoliaeth i ambell i fardd
I Gwenallt chi'n gweld odd e'n fwy na lle,
Ochr Treforys o'r dre.
Gweddillion ffwrneisi, tai teras mewn rhesi,
Adeiladau'n pwdru a'r Tawe yn drewi,
'Dyw hwn ddim yn dwll, mae'n fwy na lle:
Ochr Treforys o'r dre.

Cytgan:
Caled o'dd hanes y fro,
Tlodi yn fyw mewn sawl co',
Caled o'dd bywyd y fro
Hiwmor mor ddu â glo.

Tair milltir crwn ar waelod y cwm,
Ceir yn dod o bobman a'r aer yn llawn plwm
Sgidie llwm ac acenion trwm,
Ochr Treforys o'r dre.
Clydach a'r Glais, Birchgrove a Bonymaen,
Plant yn 'ware yn yr hewl, pob mam ar bigau'r drain,
Cwestiynau digon ewn ac atebion itha plaen,
Lawr yn ochr Treforys o'r dre.

Shimpil yw y Sipswn sy'n byw ma yn y llacs
Golwg gwyllt gwyddelig, ymladd gyda'r jacs
Eu ceir nhw sydd yn foethus ond dillad sydd yn rhacs
Tincers Treforys a'r dre.
Rown' fan hyn chi'n gweld ma nhw'n siarad iaith y de
Pice man a bara lawr a disgled o de
I'r sawl sydd wedi gadael ma' fe'n seithfed ne.

Plant yn whare yn yr hewl

I ddeall y caneuon cynnar mae'n rhaid deall hefyd natur yr ardal hon. Ges i fy ngeni yn Ysbyty Treforys ac yna symud o'r ward tua dwy filltir lan yr hewl i bentref Gelli Fedw. Mae hewl Gelli Fedw yn cysylltu pentref y Glais ar waelod Cwm Tawe ar un ochr a phentref Sgiwen (Bwrdeistref Castellnedd) yr ochr arall. Roedd ein tŷ ni ar hewl Gelli Fedw, tŷ a adeiladwyd gan Nhad a'm Wncwl John ar ddarn o dir oedd yn berchen i Dad-cu Wendal.

Ardal ddiwydiannol yw hon (dim llawer o amaeth) gyda lot fawr o bobl wedi eu gwasgu mewn i dai sydd ar y cyfan yn dai teras. Glo oedd y prif ddiwydiant ym mhentrefi Gelli Fedw, Glais a Chlydach ac yna gweithfeydd tun a chopr o Dreforys lawr cwm Tawe hyd at ddinas Abertawe. Diwydiannau trwm sydd wedi bod fan hyn ers cychwyn y chwyldro diwydiannol ar ddiwedd y 18fed ganrif.

Petaech chi'n tynnu triongl acha map yn dechrau o Gelli Fedw lawr drwy Lansamlet i Dreforys ac yna lan i Glydach a nôl i Gelli Fedw byddai yn agos at 45,000 o drigolion yn byw yma. Petaech chi'n cynnwys ardaloedd Bôn-y-maen a Winsh Wen yn yr hafaliad byddai'r boblogaeth yn agos at 60,000.

Pan fyddaf yn cyfarfod â Chymry eraill am y tro cyntaf ar faes carafanau'r eisteddfod, ac yn dechre sôn am ache, y cwestiwn arferol yw, 'O ble mae'r teulu yn wreiddiol?' Mae Cymry'r ardaloedd diwydiannol fel arfer yn gallu adrodd stori ramantus am gyndeidiau'n gweithio'r tir yn Sir Aberteifi, neu well fyth yn Sir Benfro. Alla'i ddim â gwneud hyn. Mae fy chwaer Betsan wedi cymryd diddordeb yn yr ache ac mae'n edrych yn debygol nad oes dim diferyn o waed gwledig ynom ni. Mae tylwyth y Rossers a'r Sims wedi bodoli yn yr ardaloedd diwydiannol o gwmpas Abertawe, Castellnedd a Llanelli ers dros ganrif. Yr agosa allwn ni fynd at hawlio cefndir gwledig rhamantus yw perthnasau yn Burry Port, sydd ar lan y môr, sbo.

Petaech yn fy nhorri fi'n fy hanner, byddai'r asgwrn cefn i'w weld yn gylchoedd du a gwyn. Wi'n ffili help. Rwy'n cnoi bob tro ac yn amddiffyn yr ardal pan fo pobl yn ei rhedeg hi lawr. Jacs hyn a Jacs y llall. Mae'n naïf pan fo pobl yn torri ar le gyda rhagfarn negyddol a chyson. Mae'n ddelwedd anffodus ac anghywir sydd wedi cael ei atgyfnerthu gan ffilmiau fel *Twin Town*. Mae'r ffilm yn frith o ystrydebau negyddol. Oes rhaid i ni chwerthin yn gwrtais pan mae Keith Allen yn esgus cael cyfathrach rywiol gyda dafad yn y ffilm? Oes rhaid i ni ganmol hwn?

Rwy'n cydnabod fod yna elfen rwff yn byw yn yr ardal fel sydd ymhob ardal ôl-ddiwydiannol. 'Rabl y dre,' fyddai Nhad yn arfer eu galw nhw, ac rwy wedi cyfeirio atyn nhw mewn sawl cân. Ond mae portreadu poblogaeth 65,000 Dwyrain Abertawe a gwaelod Cwm Tawe fel lladron ceir a gwerthwyr cyffuriau yn creu rhagfarn negyddol sydd yn sticio.

Boi o 'Byrtwe 'yf fi. Swansea Boi. Jac, os oes rhaid defnyddio'r gair. John Hartson, Dewi Pws, Paul a Richard Moriarty, John Charles, Malcolm Dacey, Gary Sprake, Enzo Maccarinelli (a fi). Mae'r rhestr yn un hirfaith. Pob un o'r rhain wedi eu magu yn 'Ochr Treforys o'r dre', a neb ohonyn nhw erioed wedi dwyn car na gwerthu cyffuriau o dan y bont ym Mhort Talbot. Felly, rhowch daw ar yr ystrydebau dwl, plîs!

O oedran y deunaw hyd nawr, hwn fu fy nghynefin. Rwy'n deall yr ardal yma yn well na Chaerfyrddin, ble dwi wedi byw ers dros 30 o flynyddoedd bellach. Roeddwn i'n byw bywyd cyffyrddus mewn ardal ddosbarth gweithiol a llwm. Ond gwrthodai Nhad symud i un o ardaloedd mwy cefnog Gorllewin Abertawe. Roedd ei wreiddiau'n ddwfn ym mhridd 'Coporopolis' ac roedd sybyrbia breintiedig ardaloedd y Ddyfnant, Sgeti neu'r Mwmbwls yn fyd gwahanol. Roedd ei dad yn gweithio yn y ffwrneisi tun ac nid oedd modd ein rhwygo ni bant o'r patshyn diwydiannol bishi ar waelod Cwm Tawe lle roedd ei wreiddiau.

Nid oedd llawer i'w wneud yn grwt ifanc yng Ngelli Fedw, pentref oedd yn gasgliad digynllun o dai, capeli a thafarndai. Roedd fy ffrindiau i gyd yn byw yn Nhreforys, felly dyna ble hales i flynyddoedd fy arddegau cynnar.

Prynodd Nhad feic drop handlebars i fi, un ail-law. Ei syniad ef oedd prynu beic oedd yn rhy fawr fel bo fi'n 'tyfu mewn iddo fe'. Drwy wneud hyn, fyddai dim angen prynu beic bob dwy flynedd. O ganlyniad i bwyll ariannol Nhad, byddwn yn crasho mewn i bopeth byth a hefyd, ac roedd stopio a neidio bant yn brofiad poenus. Roedd yn rhyddhad mawr i fi yn 13 mlwydd oed pan ddes i'n ddigon tal i fynd ar y beic heb fod y bar canol yn fy hitio i rhwng fy nghoesau wrth neidio bant. O'r diwedd roeddwn wedi 'tyfu mewn' i'r beic, ac roedd hyn yn golygu rhyddid. Y rhyddid i seiclo'r ddwy filltir i Barc Treforys bob dydd a'r rhyddid i beidio gorfod helpu Nhad gyda'i brosiectau DIY bob penwythnos.

Y peth gorau am Dreforys yw'r parc. Gwerddon o wyrddni sydd yn erwau o goed a phorfa yng nghanol miloedd o dai. Mae pwy bynnag gynlluniodd Barc Treforys yn haeddu medal. Roedd yn gyfle i blant yr ardal chwarae'n saff ac yn ddihangfa o'r tai teras oedd wedi eu gwasgu mewn yn ddi-drefn, gefn wrth gefn. Yn y parc hwn y byddwn yn cwrdd â fy ffrindiau Wayne, Meirion a Gwynedd yn ddyddiol. Hwn oedd ein criw bach ni (yn ogystal â brodyr ifancaf pawb). Criw bach o 'Welshies' oedd wedi bod drwy Ysgol Lôn Las ac oedd nawr yn mynd i Ysgol Ystalyfera gyda'i gilydd. Mae'r atgofion am y parc sydd i ddilyn wedi eu hysgrifennu o bersbectif crwt 13 mlwydd oed oedd yn rhan o'r criw drygionus yma.

Roedd 'na sawl carfan wahanol o fois yn y parc. Roedd bechgyn a merched stad tai cyngor Y Clas (The Clase) yn fwy drwg, yn fwy caled a llai ofnus nag oeddem ni. Mae'r stad yma ar ben y bryn sydd yn edrych lawr ar Dreforys a dyma ble mae swyddfeydd y DVLA sydd i'w gweld yn blaen o'r M4.

Roedd gan fois y Clas fwy o ddiddordeb mewn ymladd na chwarae pêl-droed. Byddent wastod ar ôl rhywun. Roeddwn yn ffodus fod Meirion a Wayne gyda ni, a'r ddau yn ymladdwyr da. Ond y broblem oedd bod gan blant y Clas lwythi o frodyr a chefndryd hŷn oedd yn gallu ymuno fel y cafalri. O achos hyn byddai un frwydr yn gallu para sawl diwrnod am fod yna fyddin o dylwyth yn ymuno yn y ffrae.

Byddai ffeit go iawn yn para ychydig funudau yn unig ac fel arfer byddai drosodd pan fyddai un plentyn wedi llwyddo i rwystro'r gwrthwynebydd a'i ddal ar y llawr. Cleisiau a chwte bach fyddai'r unig anafiadau fel arfer ac roedd yn bosib twyllo rhieni mai wrth chwarae pêl-droed roedd y rhain wedi digwydd. Weithiau byddai clatsio mawr yn digwydd yn y parc os byddai ganged o fois Clydach yn dod draw i ymladd â bois Treforys. Ond doedd hyn ddim byd i neud â ni. Roedd bechgyn Treforys yn mynd i Ysgol Gyfun Cwmrhydyceirw a bechgyn Clydach yn mynd i Ysgol Saesneg Cwm Tawe. Roedd 'Welshies' yr ardal yn mynd i Ystalyfera a ddim yn cael eu hystyried fel llawer o fygythiad o gwbl, felly roedd yn hawdd aros allan o'r ffeits mwyaf ffyrnig.

Roeddem i gyd yn ymwybodol o drefn hierarchaidd y parc. Brodyr a chwiorydd hŷn bechgyn y Clas oedd galetaf. Wedyn bois y tai teras o amgylch y parc. Wedyn ni 'Welshies' Ystalyfera nad oedd neb arall cweit yn eu deall. Rhyw fath o lwyth ychydig mwy parchus oedd bob amser ar gyrion y digwyddiadau ond byth yn cael eu dal. Ni oedd y gang oedd ar waelod y gynghrair o ran cryts caled y parc. Tamed bach fel Fulham o ran cymhariaeth pêl-droed, ychydig mwy dosbarth canol na phawb arall ac fel arfer mewn perygl o ddisgyn allan o'r gynghrair erbyn canol y tymor. Ein diddordeb pennaf ni oedd pêl-droed yn hytrach nag ymladd.

Parc ar dyle, sef ochr mynydd, oedd Parc Treforys, ac er mwyn cael gêm o bêl-droed deg byddai dau hanner fel bod pawb yn cael y cyfle i ware lawr y tyle. Os fyddech chi'n chwarae yn y tîm oedd yn cicio sha lawr yn yr hanner cyntaf byddai angen o leiaf bum gôl o fantais cyn newid rownd hanner amser. Roedd ware sha lawr yn wahanol gêm i ware sha lan ac roedd yn bosib i'r golgeidwad oedd yn ware lawr sgorio o gic gôl.

Cyn dechrau'r gêm byddai'n rhaid pigo timoedd. Busnes creulon oedd hwn ac un sydd wedi aros yng nghof miloedd o blant oedd ddim wedi derbyn y genyn cicio pêl oddi wrth eu rhieni. Roedd bod y crwt olaf i gael eich pigo yn ddechreuad ofnadwy i unrhyw gêm.

Ar ôl pigo timoedd, rhaid fyddai penderfynu pa glwb o'r Adran Gyntaf oedd y timoedd am fod. Roedd y gêm yn ddrama oedd yn cael ei hactio allan gyda phob crwt yn mynnu bod yn un o sêr pêl-droed adnabyddus y cyfnod. Roedd y gemau fel arfer yn Leeds v Abertawe, Arsenal v Abertawe neu Man U v Abertawe. Roedd hawl gydag Abertawe i gynnwys unrhyw chwaraewr o'r Adran Gyntaf yn y tîm. Byddai plant eraill yn gallu ymuno a gadael y gêm ar unrhyw adeg. Y cwestiwn oedd, 'Which way am I kicking?' ac yna'r ateb 'You're kicking uphill,' neu 'You're kicking downhill', hynny'n dibynnu ar ba dîm oedd brinnaf o chwaraewyr. Rwy'n cofio plant yn chwarae 'touch rygbi' ar iard yr ysgol yn Lôn Las ac yn Ystalyfera. Ond ym mharc Treforys, pêl-droed oedd y gêm. Ar ôl sgorio gôl byddai'n rhaid gwneud sylwebaeth fel Jimmy Hill:

'Oh, that's an absolute screamer by the in-form striker Mick Channon!' neu ba bynnag chwaraewr oeddech chi'n digwydd bod. Yna roedd rhaid mynd ati i ddathlu yn arddull y chwaraewyr adnabyddus o'r saithdegau. Y rheswm am enwi Mick Channon yw mai fe oedd â'r dathliad gorau ar y pryd. Rhyw fath o felin wynt gyda'r fraich dde yn syth ac yn cylchdroi'n gyflym, ddim yn annhebyg i arddull chwarae gitâr Pete Townshend.

Byddai dadl yn dilyn pob gôl. Y rheswm am hyn oedd absenoldeb pyst gôl, bar a rhwyd, dim ond dwy siwmper. 'Jumpers for goal posts', yn ôl yr hen ymadrodd. O achos natur annelwig y gôl, byddai pob ymgais at sgorio yn agored i ddehongliad ac felly yn troi'n ddadl:

'That was over the bar.'

'No way. Great goal.'

'No goal. Too high.'

'Definite goal. Brilliant strike'.

Yr unig ffordd i sicrhau fod gôl yn bendant oedd cadw'r ergyd yn isel a rhwng y siwmperi. Hefyd byddai gôl gan un o fois caled y Clas bob amser yn sefyll.

Yn ogystal â phêl-droed roedd reidio *skateboards* yn beth mawr gyda llwybrau serth a throellog y parc yn creu traciau perffaith ar gyfer rasio. Roedd yn rhaid prynu'r olwynion a'r trycs o siop yn Abertawe ond roedd y byrddau yn blanciau o bren wedi eu siapio gan ryw riant oedd yn ddeche gyda twls. Byrddau 'home made' oedd gan y mwyafrif o'r plant ac roedd y plant oedd gyda byrddau go iawn yn sefyll allan.

Dysgais yn gyflym iawn bod sefyll allan ym mharc Treforys, p'un ai ar feic neis neu *skateboard* drud, yn gamgymeriad mawr. Os am fynd adre mewn un darn byddai'n well bod gyda chi hen feic, bwrdd sglefrio wedi ei greu allan o ddarn o bren o'r garej, a trainers oedd yn ddim yn edrych yn rhy newydd a glân. Un bachgen oedd â phopeth, yn cynnwys sawl pâr o trainers Adidas newydd gwyn, oedd mab dyn busnes lleol a gai ei adnabod fel 'Dal the Builder's Pal'. Roedd y tad yn rhedeg siop cyflenwi adeiladwyr lleol.

Un tro roedden ni wedi adeiladu 'slalom run' ffantastig allan o hen ganiau pop. Roedd y cwrs wedi ei gynllunio'n ofalus – tua phum can metr o hyd gyda phob can tua llathen wrth ei gilydd heblaw am y chwech can olaf oedd yn fwy agos er mwyn profi sgil y bwrdd-sglefriwr. Roedd y gêm yn grêt ac fe barodd drwy'r prynhawn gydag un o frodyr Wayne yn ddigon mentrus a dawnus i orffen y cwrs heb fwrw un can. Yna daeth 'Dal the Builders Pal' o rywle gyda'i fwrdd sglefrio drud, helmed, pads a trainers llachar gwyn, a bwrw pob can drosodd yn fwriadol.

Roedd pawb yn ynfyd grac wrth iddo gyrraedd diwedd y cwrs gan chwerthin. Cyn iddo ddod i stop, fe wnaeth un o fois y Clas dacl rygbi perffaith arno ac fe hedfanodd y ddau mewn i'r clawdd oedd wrth ymyl y llwybr. Roedd y bwrdd drud yn dal i fynd heb neb arno. Cydiodd crwt arall o'r Clas yn y bwrdd a'i daflu dros ffens ddeg troedfedd mewn i ardd gefn un o'r tai teras oedd yn ffinio â'r parc. Daeth sŵn y diawl wrth i'r bwrdd drud lanio ar ben to'r sied sinc oedd ar waelod yr ardd. Yna sgrechfeydd rhyw fenyw grac oedd yn eistedd mas y bac yn mwynhau disgled fach o de.

'You little bastards. I'm phoning the police right now!'

Roedd pawb yn ffonio'r heddlu am bopeth y dyddiau hynny. Dyma redeg nerth ein traed nôl i dŷ Meirion ac aros yno am weddill y dydd. Bu 'Dal the Builder's Pal' ar ein hôl ni am wythnosau wedyn er mwyn dial.

Digwyddiad mwyaf brawychus y cyfnod hwn oedd y diwrnod yn ystod gwyliau'r Nadolig pan benderfynon ni daflu peli eira at gerbydau oedd yn dod lawr y tyle heibio tŷ Meirion. Roedd Gareth, sef brawd ifanca Meirion, yn 'look out' ac yn barod ochr arall yr hewl. Y drefn oedd y byddai Gareth yn codi ei fraich bob tro y byddai fan neu fws yn agosáu. Byddai Wayne, Meirion, Gwynedd a finnau yn rhedeg allan i'r ardd ffrynt wedyn ac yn peltio peli eira at ochrau'r cerbydau. Yr ergyd orau fyddai'r un fyddai'n gwneud y sŵn gorau wrth i'r belen eira fwrw panel ochr y cerbyd.

Roedd hi bownd o fod yn dipyn o sioc i'r gyrwyr hyn wrth i beli eira ergydio eu cerbydau. Ond byddent bob amser yn gyrru ymlaen lawr y tyle, heblaw am un fan fawr cwmni Griff Fender Removals, a wnaeth 'emergency stop' hanner can llath ar ôl pasio tŷ Meirion. Neidiodd y gyrrwr allan a dechrau rhedeg nôl lan y tyle tuag atom ni. Roedd edrychiad garw iawn arno. Bachan canol oed sgwâr oedd e, gyda lot o datŵs. Gethon ni lond twll o ofn a gwaeddodd Meirion, 'Run for your lives!' Wnaeth hynny ddim helpu'r sefyllfa. Rhedon ni rownd i ardd gefn Meirion a thros y wal gefn oedd yn arwain mewn i stad tai cyngor y Clas. Roedd hwn yn rhywle na fydden ni'n mynd ar ei gyfyl. Fydden ni byth yn chwarae yno a doeddwn i ddim yn adnabod neb oedd yn byw yno. Roedd hwn yn 'no-go zone' go iawn i ni. Hwn oedd Bronx Treforys.

Meirion oedd yr arweinydd yn y sefyllfaoedd brawychus wythnosol yma. Wnaethom ni ei ddilyn drwy nifer o hewlydd bach cul nes cyrraedd wal isel ar ben draw *cul-de-sac*. Roeddwn yn sicr na wnâi'r gyrrwr blin byth ddod o hyd i ni. Fe sgwation ni lawr y tu ôl i'r wal am ryw bum munud, oedd yn teimlo fel oes, ac yna pipo dros y top i weld bod popeth yn glir. Doedd dim siw na miw i'w clywed, a dim golwg o'r fan a'i gyrrwr garw. Roedd y lle yn hollol ddistaw. Dihangfa unwaith eto. Dechreuodd pawb chwerthin ond stopiodd hynny'n go gloi pan wnaeth Griff Fender Removals sgrechian rownd y gornel. Gwaeddodd Meirion, 'split up' a gwasgarodd pawb i wahanol gyfeiriadau. Pawb heblaw fi. Roedd yr ofn wedi cydio yno fi, roedd y daps yn sownd i'r pafin ac roeddwn i'n methu symud o'r unfan. Gwtshes i lawr a gwneud siâp pêl y tu ôl i'r wal, debyg i ddraenog ar ganol hewl fawr. Dechreuais weddïo hen weddi Ebenezer, 'O Dduw, bydd drugarog wrthyf i bechadur er mwyn

Iesu Grist, Amen.' Daeth sŵn y traed yn agosach ac yna y llais.

'Out ew come, ew little rat!'

Edrychais lan i weld y gyrrwr garw yn edrych lawr arna'i. Wyddwn i ddim beth i'w ddweud, ac am ryw reswm y geiriau ddaeth allan oedd,

'I surrender!'

Roeddwn i'n gobeithio na wnâi gweddill y gang fy ngweld i'n ildio mor gloi. Doedd y gyrrwr garw ddim yn edrych mor gas erbyn hyn ond roedd e'n dal yn ddigon crac i wneud i fi gachu concers.

'What do you mean ew surrender? It's not a game, boy. You could 'ave caused an accident.'

Roeddwn i'n synnu nad oeddwn wedi cael wad yn syth. Aeth ymlaen yn dawel bach.

'I was brought up here see so I was always going to find ew. Now then, I want to know where you and your mates live.'

Roedd hyn yn gwneud pethau'n waeth. Bydde un wad yn y glust yn well na Nhad yn dod i wybod. Doedd dim dewis. Penderfynais ddweud y gwir.

'I live on Birchgrove Road.' Ac yna, 'My father's going to kill me.'

Hwn oedd y peth anghywir i'w ddweud. Ffrwydrodd y gyrrwr garw a chydio yn fy nghrys wrth y sgrwff.

'You could have fuckin killed me!'

Caeais fy llygaid yn disgwyl am yr ergyd, ond ddaeth hi ddim. Gollyngodd y gyrrwr garw ei afael.

'If I catch ew doing that again I'll have to sort you out, mwsh. Do you get me?' Roedd ei lais yn dawel nawr. 'You're lucky I haven't got time to go up Birchgrove, but tell ewr mate I knows where he lives. I seen which 'ouse it was, see.'

Trodd ar ei sawdl a cherddodd nôl i'w fan. Dihangfa lwcus uffernol. Stopiodd y gêm taflu peli eira o hynny ymlaen, a thrwy lwc, ni welodd y bois fi'n ildio.

Credwch neu beidio, ond roedd yna bwll nofio bach awyr agored ym Mharc Treforys. Byddai ar agor yn ystod misoedd yr haf yn unig ond roedd yn dal yn annioddefol o oer ac fe fydden ni i gyd yn crynu drwy'r amser, i mewn neu allan o'r dŵr. Roedd hwn y math o oerfel fyddai'n mynd yn syth i fêr yr esgyrn. Roedd yn beryg bywyd mentro i'r pwll. Doedd gan ofalwyr y pwll ddim rheolaeth o gwbl dros y rhai fyddai'n mynd yno, i fyny at 30 ohonon ni, yn ceisio boddi ein gilydd a chwarae 'dive bombers', gêm beryglus lle byddem yn neidio mor agos â phosib i'n targedau. Roedd y pwll yn gawl berw o hwliganiaid. Duw a ŵyr sut na chafodd neb ei ladd ym mhwll awyr agored Parc Treforys.

Byddai yna bob amser ddau ofalwr ar ddyletswydd yn y pwll. Roedd un yn foi tew a diog canol oed a gâi ei alw'n 'Beety', hynny am fod ei wyneb yn goch fel bitrwten. Doedd gan Beety ddim diddordeb mewn ceisio cadw trefn ar y gyflafan ddyddiol fyddai'n digwydd yn y pwll. Byddai'n cuddio mewn sied fach gerllaw.

Roedd 'na arwydd swyddogol Cyngor Dinas Abertawe ar ochr y sied oedd yn dweud 'Pool Attendants Only' ac roedd rhywun wedi croesi'r geiriau 'pool attendants' allan ac ysgrifennu 'Beety' mewn llythrennau bras. Weithiau byddai'r gofalwyr wrth ochr y pwll yn gweiddi am help Beety. Byddai hwnnw wedyn yn gorfod llusgo'i hunan allan o'r sied a gweiddi bygythiad gwan (oedd byth yn gweithio) yn erbyn y drwgweithredwr,

'Behave ewself, o'r I'll ban ew!' Ac fel arfer yr ateb fyddai,

'Shut it Beety! Ew banned me yesterday!'

Doedd ganddo ddim rheolaeth o gwbl. Cyn mynd mewn i'r pwll byddai'n rhaid cerdded drwy bwll o ddisinffectant cryf rhag ofn bod yna ferwca ar y traed. Hylif oren drewllyd oedd hwn ac roedd yn rhaid mynd drwyddo'n gyflym am fod rhai o fechgyn y Clas yn sefyll ynddo a chicio'r hylif drewllyd dros unrhyw pŵr dab oedd heb fod yn y pwll o'r blaen.

Wna'i fyth anghofio'r diwrnod pan ddaeth gofalwraig newydd lan i geisio cael ychydig o drefn ar y plant afreolus. Roedd hi'n brydferth iawn, croen tywyll a gwallt hir du ac o dras Eidalaidd, o bosib. Tawelodd y pwll yn sydyn wrth i'r Señora newydd gymryd ei sedd ar ben yr ysgol am y tro cyntaf. Y bechgyn i gyd edrych yn gegagored ar yr aelod newydd o staff, a'r merched oedd yn esgus torheulo ond bron â rhewi yn edrych yn grac. Roedd hyn cyn dyddiau Baywatch, ond chi'n gallu dychmygu'r olygfa.

Barodd y llonyddwch ddim yn hwy nag ychydig funudau wrth i'r bechgyn geisio dwyn sylw'r ferch drwy wneud triciau dienaid o beryglus. Dechreuodd rhai geisio balanso ar ysgwyddau eu ffrindiau a chreu pyramid, ac roedd eraill yn gwneud bac-fflips o ymyl y pwll ac i mewn i'r dŵr. Yna tawelodd y pwll unwaith eto wrth i Jaffa a'i griw gyrraedd y sîn.

Jaffa oedd brenin answyddogol y parc. Mop o wallt coch, cyhyrau mawr a thymer wael. Crwt caletaf ac ymladdwr gorau'r ardal. Dim ond 14 oed oedd e, ac roedd eisoes wedi cael tatŵ 'Swans' ar ei fraich ac yn siafo'n rheolaidd. Crwt o stad Penlan oedd Jaffa, sef stad arall o dai cyngor oedd ychydig yn bellach o Dreforys. O achos y pellter, fyddai Jaffa ddim yn ymweld â'r parc yn aml ac ni wnâi foddran gyda phêl-droed. Byddai yna bob amser reswm dros ymweliad Jaffa â'r parc, a byddai wastod si ar led pan fyddai yno. Fel arfer, y rheswm y tu ôl i'w bresenoldeb fyddai dial ar rywun oedd angen dysgu gwers, rhyw ffŵl oedd wedi bod yn cegan ei fod yn fwy caled na Jaffa. Y tro hwn roedd yno am reswm gwahanol. Y si oedd ei fod wedi clywed am y ferch brydferth newydd ac roedd am ofyn iddi fynd allan gyda fe. Cerddodd Jaffa yn syth lan at sedd Señora ar ben yr ysgol.

'Alright or what?' gofynnodd, wrth iddo edrych lan at y ferch.

'Alright,' meddai Señora ac yna, 'What ew after?'

Roedd gan Jaffa gynulleidfa nawr. Pawb isie gweld os oedd e'n mynd i lwyddo.

'Will ew go out with me, or what?'

Chwerthinodd Señora.

'My boyfriend is nineteen and he's got a car. He's gonna kill ew, little boy.'

Siom enfawr. Roedd ganddi'r acen fwyaf comon. Ie, 'O'r Eidal mae'r llygaid a'r wedd, ond yr acen o Gastellnedd'. Chwerthinodd y gynulleidfa nes i Jaffa droi rownd.

'Who's 'avin it first then?'

Tawelodd y chwerthin.

Seniora

O Seniora rho wên fach i ni
Ni gyd ma jest i siarad â ti.
Gwêd 'tha i pam y'n ni'n gorfod cwrdd
Fi'n ishte ma, tra ti'n sychu'r bwrdd.
O Seniora mae mor ddu a gwyn
Ti'n rhy dda i fod yn gweitho fan hyn
O'r Eidal ma'r llygaid a'r gwedd
Ond ma'r acen o Gastell Nedd.

A dyna fe te, atgofion Parc Treforys. Helyntion crwt ifanc yn cael profiadau a gwersi bywyd mewn parc heb reolau. Y gwahaniaeth mawr rhwng y fagwraeth hon a phrofiadau fy mhlant i yw'r ffaith fy mod i wedi cael y rhyddid i fod yno heb arolygaeth gyson oedolyn. Rhyddid i gael profiadau. Rhyddid i ddysgu am sgil-effaith ein gweithredoedd. Rhyddid i wneud camgymeriadau oedd ddim yn cael eu cofnodi na'u rhannu ar gamera ffôn symudol dieflig. Rhyddid i drefnu gêm o bêl-droed ein hunain heb riant gor-ofalus yn esgus bod yn ddyfarnwr.

Roedd yr hyn wnaeth fy nghenhedlaeth i yn hunanol iawn, sef trefnu pob gweithgaredd ar ran ein plant. Magu cenhedlaeth newydd mewn gwlân cotwm a'i hamddifadu o'r profiadau a gawsom ni. Popeth wedi'i drefnu'n barod i'r fath raddau nes bod plant yn anghofio sut i bigo dau dîm ar gyfer gêm o bêl-droed. Fe wnes i ymweld â'r parc yn ddiweddar ar y ffordd i weld fy chwaer, sy'n dal i fyw yn Llangyfelach. Tristwch mawr oedd gweld yr arwyddion newydd ym mhob man – 'No ball games in this area. No dogs. Gates locked at 5.30.'

Oefad yn y pownd. Pwll awyr agored parc Treforys yn y 70au.

Man a man bod yr arwyddion jest yn gweud, 'No fun'. Rwy'n cydnabod bod cymdeithas wedi newid, ac yn anffodus bod rhaid diogelu pobl ifanc. Mae presenoldeb gwerthwyr cyffuriau a'r defnydd o gyllyll wedi dinistrio sawl bywyd. Yn fwy na hynny mae'r diawled wedi newid y ffordd o chwarae ac maent wedi rhoi stop ar y profiadau amhrisiadwy gefais i yn y blynyddoedd cynnar. Roedd yn rwff ac yn gallu bod yn dreisgar ond roedd yn ddiniwed iawn hefyd. Plant yn cael bod yn blant am gyfnod, a'r unig ofid fyddai pwy fyddai'n gorfod mynd â'r bêl i'r parc y diwrnod trannoeth.

6.
Fy annwyl Vetch

Fy annwyl Vetch,
O, ti mor hardd
'wy'n gweld dy ishe di.

Rwy'n cofio ni'n cwrdd 'nôl yn un naw wyth un,
Latchford a Curtis, Tosh a Robbie James
A chofio'r sylwebydd ar 'Match of the Day'
'They're top of the league, and I don't know their names'.

Rwy'n cofio ni'n cwrdd 'nôl yn un naw saith saith,
Fy'n nhad a fi'n mynd yn syth ar ôl gwaith,
Yr elyrch yn hedfan a pallu rhoi lan,
Un math o lager ac un byrger fan.

Rwy'n cofio ni'n cwrdd yn dwy fil a thri,
Bron â diflannu yn llwyr wnaethom ni,
O'n byddin, y North Bank a sefodd fel un
Acenion tai cyngor mor ffyddlon i'r tîm.

Byddin y Banc yn sefyll fel un

'Wy'n dwlu ar y Swans, ac wedi ei cefnogi ers 1976. Cofiwch chi, 'wy'n nabod sawl cefnogwr sydd wedi profi'u ffyddlondeb i'r clwb yma yn fwy na fi. Roedd gen i ffrind o Gorslas na fyddai byth yn colli gêm, ac oedd yn teithio pellteroedd mawr mewn hen Datsun Cherry i weld yr Elyrch. Un prynhawn Sadwrn anffodus, fe dorrodd y car lawr ar yr M4 jyst tu fas i Lanelli. Fe wnaeth beth ddylai pob cefnogwr cyfrifol ei wneud o dan y fath amgylchiadau, sef gadael y car ar y llain galed gyda'r goleuadau ymlaen a bodio lifft gyda chefnogwr arall oedd ar ei ffordd i'r gêm. Beth sy'n ddiddorol am y stori hon yw bod y cefnogwr wnaeth stopio i roi lifft iddo hefyd o'r farn mai dyma oedd y peth callaf i wneud!

Mae yna linell na ddylid ei chroesi o ran dangos ffyddlondeb i dîm pêl-droed, a'r llinell i fi yw tatŵs. Nid ar y fraich, mae hynny'n ddigon derbyniol, ond yn hytrach ar y pen. Rwyf wedi gweld dau gefnogwr sydd wedi siafio eu pennau yn gwbwl foel

73

a chael tatŵ o alarch ar gefn y pen. Mae hon yn broblem i fi am ddau reswm. Yn gyntaf mae gofyn bod gyda chi ffydd enfawr yn yr artist sy'n gwneud y gwaith. Beth os yw e'n newydd ac yn ddibrofiad, neu'n heneiddio â'i lygaid yn methu? Gallech chi gwpla lan â hwyaden yn hytrach nag alarch. Yn ail, beth os bydd perchennog y tatŵ yn dymuno tyfu ei wallt yn ôl ar ryw adeg yn y dyfodol? Golygai hyn mai alarch blewog fyddai ganddo fe ar gefn ei ben am gyfnod. Na, cam yn rhy bell i fi.

Rwy'n meddwl, yn ôl y casgliad o hen raglenni sydd adre, mai'r gêm gyntaf i fi ei mynychu oedd Abertawe yn erbyn Rochdale yn 1976. Byddwn i wedi bod yn unarddeg mlwydd oed ac wedi bod yn poeni Nhad am fynd â fi 'i'r Swans' am fisoedd. Roedd y bechgyn hŷn oedd yn eistedd yng nghefn y bws ysgol i Ystalyfera yn siarad am y Vetch, ac yn enwedig y North Bank, yn ddi-baid. Weithiau bydden nhw'n canu'r caneuon llawn rhegfeydd a bygythiadau. Roedd hynny'n swnio'n beryglus ac yn gyffrous, ac roeddwn i am fynd i'r lle.

Roedd Nhad eisoes wedi mynd â fi i weld timau rygbi lleol yn chware, sef Castellnedd ac Abertawe, ac roeddwn wedi mwynhau. Ond roedd y torfeydd yn dawel a'r gemau yn araf a byddwn yn ysu i ffeindio allan pwy oedd Jeremy Charles a Robbie James, a pham oedd y bechgyn drwg ar y bws yn canu amdanynt.

'Cofia nawr was, Cymry Cymrâg y'n ni sy'n mynd i'r Capel. Rabl y dre sy'n mynd i'r Swans, a fi ddim moyn ti'n bihafio fel rabl y dre.'

Dyma oedd neges fy Nhad cyn y gêm ac roedd y ffaith ei fod wedi disgrifio cefnogwyr pêl-droed y ddinas fel 'rabl' yn creu mwy o gynnwrf mewn crwt unarddeg mlwydd oed.

Roedd Nhad wedi cael tocynnau yn y double decker stand yn y Vetch. Hen adeilad pren oedd e, â theras ar y gwaelod a grisiau serth yn arwain at eisteddle mawr lan llofft. Tua deg llath i'r chwith o'n ciw ni i fynd mewn roedd yna giw arall o tua hanner cant o gefnogwyr Rochdale, a rhwng y ddau giw safai dwsin o blismyn anferth. Roedd golwg wahanol ar y cefnogwyr yma o'u cymharu â chefnogwyr rygbi. Roedden nhw'n ifancach, ond yn ddynion i gyd, rhai gydag inc glas dros eu breichiau a rhai wedi siafio'u pennau.

Sylwais nad oedd neb yn siarad gyda neb yn y ciw o gefnogwyr Rochdale. Roedd yna densiwn a thyndra oedd yn wahanol i giwio cyn gêm rygbi. Daliodd Nhad yn dynn yn fy llaw.

'English bastards!' gwaeddodd rhywun o'n ciw ni.

'Dere was, miwn â ni'. Gwasgodd Nhad yn dynnach fyth yn fy llaw gan fy arwain i'n sionc at y fynedfa.

O dan yr eisteddle ganol ar y dde, safai rhyw gant o gefnogwyr Rochdale mewn lle na allai gael ei ddisgrifio ond fel caej. Roedd y ffens oedd o amgylch eu teras nhw yn ddeg troedfedd o uchder ac wedi plygu i mewn ar y top. Amhosib fyddai dringo dros hon. Ar y naill ochr i'r ffens roedd yna fwy o blismyn enfawr. Rhaid mai dim ond plismyn oedd yn or-hoff o'u bwyd oedd yn cael eu gofyn i fod ar ddyletswydd pêl-droed yn y saithdegau.

O dan yr eisteddle ar y chwith roedd yna deras a allai ddal ychydig filoedd o gefnogwyr Abertawe (er mai cyfartaledd o ryw bedair mil oedd yn mynd i gemau yn yr Adran waelod). Ar y teras yma roedd rhai wedi eu gwisgo'n debyg i gefnogwyr Rochdale gyda siacedi Harrington, crysau Fred Perry a bŵts Dr Martens. Roedd yna nifer fawr ohonynt wedi siafio eu pennau fel cefnogwyr Rochdale. Acenion stadau cyngor Blaen y Maes, Townhill a'r Clas oedd gyda rhain yn hytrach nag acenion stadau cyngor Rochdale. Dyma oedd yr unig wahaniaeth rhwng y ddau lwyth o gefnogwyr. Enw'r teras hwn oedd y North Bank. Dyma lle'r oedd cefnogwyr mwyaf ffyddlon yr Elyrch yn sefyll, a hwn hefyd oedd lle'r oedd 'rabl' y dre yn sefyll. O'r foment yna yn 1976, dyma lle'r oeddwn i ishe sefyll.

Tua chwarter awr cyn y gic gyntaf, dechreuodd y canu. Ond nid canu fel roeddwn i wedi'i glywed mewn gemau rygbi nac ychwaith yn y capel ond yn hytrach 'tshanto'. Geiriau y gellid eu gweiddi, rhai oedd weithiau'n odli ac oedd wastad yn mynd gyda rhythm pendant a chyfeiliant clapio dwylo i'r rhythm.

Roedd y ddau set o gefnogwyr wrthi'n tshanto. Gellid dosbarthu caneuon y North Bank yn fras i ddau gategori. Yn gyntaf roedd y caneuon oedd yn clodfori chwaraewyr yr Elyrch. Roedd y rhain fel arfer yn eithaf diniwed ac weithiau'n cynnwys ychydig o hiwmor. Ond roedd pob un yn cynnwys y gair sydd yn dechrau gydag 'F'.

'He's here, he's there, he's every fuckin where, is Robbie James, is Robbie James'.

'Love Alan Curtis we only love Alan Curtis, Love Alan Curtis, we fuckin love Alan Curtis'.

Yn ogystal â tshanto canu clodydd chwaraewyr yr Elyrch, roedd y North Bank hefyd yn tshanto bygythiadau treisgar a ffiaidd wedi'u hanelu at gefnogwyr Rochdale.

'England is full of shit!' i dôn 'When the Saints go marching in'.

'You're going home in a Swansea Ambulance!' – annhebygol o achos y pwysau ariannol ar y Gwasanaeth Iechyd.

Roedd fy Nhad erbyn hyn yn anghyffyrddus iawn gyda'r iaith anweddus oedd mor eglur a bygythiol o'n cwmpas. Roedd e'n mwmblan 'gwarthus' o dan ei anadl bob dwy funud. 'Blydi' a 'myn yffarn' oedd y ddau beth gwaethaf glywes i fe erioed yn ddweud.

'Cofia does dim rhaid defnyddio'r iaith yma i fod yn gefnogwr pêl-droed, was.'

Er mawr ryddhad iddo, rhedodd y ddau dîm ar y cae. Roedd y sŵn o'r North Bank i'r chwith oddi wrthon ni yn wahanol i'r sŵn oedd yn croesawu tîm rygbi i faes y gad. Yn ogystal â chlapio a sgrechian, roedd y bechgyn oedd yn sefyll yng nghefn y North Bank yn cicio'r paneli sinc oedd rhyngddyn nhw a chwymp deugain troedfedd i'r llawr. Yr effaith oedd sŵn drwm enfawr bygythiol yn croesawu'r timau i'r cae.

Ymlaciodd fy Nhad wrth i'r gêm ddechrau. Roedd yna rywbeth i ganolbwyntio arno nawr yn lle gwrando ar yr iaith anweddus. Dyma'r peth gyda rhegi – dyw e ddim ond yn sioc y tro cyntaf mae'n cael ei ddefnyddio. Mae fel gwn sydd ddim ond yn saethu un fwled. Ar ôl i'r fwled gyntaf fynd, mae'n ddiwerth.

Roedd y gêm yn ddiflas, ond 'wy'n credu na'th Nhad fwynhau. Wnes i fwynhau mas draw – y sŵn, y cynnwrf, y tyndra, yr hot dog a'r tshanto di-baid gan rabl y dre. Doedd dim rhaid iddo fe ofyn os hoffen i fynd eto.

Aethon ni i tua hanner dwsin o gemau yn ystod y tymor yna. Ddysgais i beth i'w weiddi drwy gopïo beth oedd pawb arall yn gweiddi.

'Man on!'; 'Switch!'; 'Offside!'; 'Handball!'; 'Stand him up!'; 'Good head!'.

Allan o'r rhain, dim ond 'Good head!' a 'Handball!' oeddwn i wir yn ddeall. Roedd yn saff i weiddi 'Good head!' bob tro byddai chwaraewr o Abertawe yn penio'r bêl, a byddwn yn gweiddi hynny hyd yn oed wedi peniad gwael.

Dysgais hefyd pwy oedd sêr y tîm, ac fe ddaeth rhai ohonyn nhw'n arwyr. Roedd y rheolwr, Harry Griffiths, wedi canolbwyntio ar ddatblygu chwaraewyr ifanc lleol. Er mawr glod i Griffiths, roedd wedi ennill balchder nôl i'r clwb yn dilyn blynyddoedd o bêl-droed gwael, torfeydd bach a dim gobaith o ddianc o waelod y bedwaredd adran. Roedd y ffaith fod y sêr ifanc yn fechgyn lleol yn gwneud gwahaniaeth mawr i'r cefnogwyr; traddodiad pwysig i'r Clwb sydd yn para hyd heddiw. Mae yna garfan fawr o gefnogwyr o hyd y byddai'n well ganddynt wylio bechgyn lleol yn chware mewn adran is yn hytrach na thîm llawn tramorwyr a Saeson yn chware yn yr Uwch Adran. Dyma'r Elyrch addawol oedd yn nhîm Griffiths:

Robbie James, chwaraewr canol cae o Gasllwchwr oedd yn dwlu rhedeg at y gwrthwynebwyr. Doedd ar James ddim ofn cael ergyd at gôl ac roedd yn gallu sgorio gyda'r ddwy droed. James oedd ein harbenigwr ciciau rhydd.

Alan Curtis o'r Porth yn y Rhondda. Curtis oedd y seren fwyaf disglair. Chwaraewr dawnus a rhedwr twyllodrus oedd yn gallu agor amddiffyn y gwrthwynebwyr gyda phas fach bert fyddai neb arall wedi'i gweld. Roedd Curtis yn gallu rhedeg ffwl pelt gyda'r bêl dan reolaeth lwyr, yn gwmws fel 'se darn o gordyn yn cysylltu'r bêl gyda'i droed. Cafodd ei adnabod yn hwyrach fel 'Mr Swans' am ei wasanaeth diflino dros y clwb. Mae'n cael ei addoli gan y cefnogwyr hyd heddiw.

Wyndham Evans, amddiffynnwr caled digyfaddawd o Lanelli. Roedd Evans yn ddyn mawr o gorff ac o galon, un na wnâi byth osgoi tacl. Roedd angen cymeriad tebyg ymhob tîm yn y saithdegau am fod y gêm mor frwnt. Roedd gan dîm Chelsea Ron 'Chopper' Harris, Billy Bremner oedd gyda Leeds a Wyndham Evans oedd yn Abertawe.

Nigel Stevenson, partner Evans yn yr amddiffyn. Brodor o Bort Tennant sef ardal dociau Abertawe. Peniwr dewr o'r bêl. 'Ma' Stevenson yn hwpo'i ben yn rhwle,' oedd geiriau fy Nhad amdano. Roedd y cefnogwyr yn ei alw'n 'Speedy'. Sa'i cweit yn siŵr pam, ond roedd yn enw da ac mae angen 'Speedy' ym mhob tîm.

Jeremy Charles, aelod o deulu brenhinol y Gendros, Abertawe. Roedd Charles yn fab i Mel Charles, a John Charles oedd ei wncwl. Gydag achau fel 'na, roedd Charles wastod yn mynd i fod yn llwyddiant ar y Vetch. Roedd Charles yn fygythiad amlwg o giciau cornel am ei fod mor dal ac yn beniwr da o'r bêl. Bob tro byddai Jeremy Charles yn gwneud rhywbeth da, byddai boi oedd yn eistedd ar ein pwys ni yn dweud 'He's got good genes see, that boy'.

I fod yn hollol ddiduedd, roedd gwylio bechgyn Griffiths ar gae mwdlyd tu ôl i'r jael yn Abertawe yn wirioneddol gyffrous, gyda'r gêm yn cael ei chwarae yn y ffordd iawn sef ar y gwair (neu'r mwd) gyda symudiadau cyflym a phasio cywir. Roedd Griffiths yn boblogaidd iawn gyda'r cefnogwyr ffyddlon ac roedd y chwaraewyr lleol yn amlwg yn gwneud eu gorau glas drosto fe a'r crys. Doedd dim byd, fodd bynnag, wedi paratoi'r pedair mil o ffyddloniaid am beth oedd i ddod.

Yn 1978 cyrhaeddodd Mr John Benjamin Toshack y Vetch. Y Meseia newydd. Newidiodd popeth o hynny ymlaen. Anodd oedd credu bod un o sêr amlycaf Lerpwl oedd wedi chwarae dros wyth tymor i Bill Shankly a sgorio 96 gôl i dîm y Sgowsers am gymryd yr awenau ar y Vetch. Roedd Tosh wedi ennill popeth gyda Lerpwl – tair Pencampwriaeth Adran Gyntaf, un Cwpan Ewropeaidd, un Cwpan UEFA ac un Cwpan FA. Pam yn y byd felly oedd seren mor ddisglair am chwarae ar batshyn o fwd tu ôl i'r jael yn Abertawe?

Y sôn yw bod Toshack am drial ei lwc fel rheolwr ac roedd Cadeirydd Abertawe sef Malcolm Struel (cefnogwr ac adeiladwr uchelgeisiol lleol) wedi ei berswadio i ymweld â'r clwb. Mae'n debyg fod Tosh wedi bod yn awyddus i ailymuno â Chaerdydd fel hyfforddwr. Caerdydd oedd ei glwb cyntaf, a chrwt o'r brifddinas oedd Toshack. Ddangosodd Caerdydd ddim diddordeb ac fe welodd Toshack y cyfle i fynd â chasgliad o chwaraewyr addawol Harry Griffiths ymlaen i bethau gwell. Colled Caerdydd felly. O, wel, dim ots.

Rhedodd Toshack allan i'r cae yng nghrys yr Elyrch ym mis Ionawr 1978 fel rheolwr-chwaraewr o flaen 15,000 o gefnogwyr brwd, yn cynnwys Nhad a fi. Roedd y tîm wedi bod yn gwneud yn dda iawn o dan Griffiths ac roedd y freuddwyd o ddyrchafiad i'r Drydedd Adran yn dal yn fyw. Gêm gyfartal 3-3 gafwyd yn erbyn Watford ond digwyddodd rhywbeth mwy y noson honno. Yn fy marn i, dyma oedd y noson a newidiodd feddylfryd y clwb o fod yn glwb oedd wastod yn mynd i fod ar y gwaelodion i glwb allai ennill unrhyw beth. Roedd Toshack wedi cael prentisiaeth o dan Bill Shankly a Bob Paisley ac roedd am ddod â holl gyfrinachau'r 'Boot Room' yn Anfield i'r Vetch. Dyn ifanc uchelgeisiol oedd am ennill, ac ennill yn unig. Roedd am ddilyn athroniaeth ei fentor, Bill Shankly, sef 'second is nowhere'.

Er mawr syndod i bawb yn yr ardal ac i nifer fawr o newyddiadurwyr Cymreig oedd yn feirniadol o agwedd 'Fi Fawr' Tosh, dros gyfnod o bedwar tymor esgynnodd yr Elyrch i'r Adran Gyntaf. Ym mis Awst 1981, chwaraeodd Abertawe eu gêm gyntaf yn Adran Gyntaf Lloegr o flaen torf o 23,000.

Erbyn hyn roeddwn i'n ddigon hen i fynd i gemau gyda

ffrindiau yn hytrach nag o dan ofal carcus fy nhad. I'r North Bank oeddwn i'n mynd, wrth gwrs. Byddai'r diwrnod yn dechrau'n gynnar. Dal y bws rhif 119 oedd yn teithio o Gelli Fedw i ganol y dre. Ar y ffordd byddai ffrindiau, Meirion a Wayne fel arfer, yn neidio ymlaen ar sgwâr Treforys. Ar ôl cyrraedd y dre byddai'n fater o brynu tships yn siop Macari's a'u bwyta tu allan i un o'r tafarnau oedd o gwmpas y Vetch: y Garibaldi (wedi ei enwi ar ôl y milwr Eidalaidd, nid y fisged); y Singleton; y Bricklayers a'r Swansea Jack. Roeddwn yn rhy ifanc i fynd mewn, ond roedd yn ffordd dda o brofi'r awyrgylch a gwrando ar y tshanto gan rabl y dre. Roedd yn ffasiwn gan gefnogwyr pêl-droed yr wythdegau i addasu geiriau caneuon poblogaidd y cyfnod:

'Swansea boys, Swansea Boys, laced up boots and corduroys.' (Addasiad o 'Hersham Boys' gan Sham 69).

'Swans will tear you apart again.' (Addasiad o 'Love Will Tear You Apart' gan Joy Division).

A heb os, y gorau oll, addasiad o gân fawr yr adeg gan Springsteen sef 'Born in the USA' – 'Born in Morriston, I was born in Morriston.'

Ar ôl y tships, byddai'n fater o giwio i fynd mewn i'r Bank. Rhaid oedd dechrau ciwio o leiaf awr cyn y gic gyntaf yr adeg honno am fod cymaint am weld tîm Tosh, gyda thorfeydd o dros 20,000 yn cael eu denu'n gyson i gemau cartref. Roedd 10,000 o gefnogwyr yr Elyrch wedi teithio i Preston i weld Abertawe yn ennill dyrchafiad y tymor blaenorol. Rheswm arall dros giwio'n gynnar oedd bod nifer o'r cefnogwyr am yfed reit hyd at y gic gyntaf, a byddai yna wasgfa fawr o bobl feddw yn y munudau cyn y gic gyntaf. Roedd rhai o'r cefnogwyr yn yfed cymaint, caent eu cario mewn i'r Bank gan eu ffrindiau.

Roedd mynedfeydd y turnstiles yn beryglus. Roedd rhaid i chi frwydro er mwyn aros yn y ciw wrth i gannoedd o gefnogwyr gael eu sianelu a'u gwasgu mewn i bedair mynedfa gul oedd wedi'u gwneud allan o flociau concrit. Duw a ŵyr sut wnaethon ni osgoi trychineb yn y lle.

Ar ôl mynd mewn roedd yna ardal agored gydag un portacabin (The Mel Nurse Bar), un fan yn gwerthu Hot Dogs, un fan yn gwerthu te a Bovril ac un tŷ bach i ddynion. Sied o flociau concrid oedd y tŷ bach, digon i ddal ugain falle ar y mwyaf. Y tu mewn roedd y llawr yn goleddu lawr i'r cafn ar hyd y wal waelod. Yn dilyn fy ymweliad cyntaf â'r tŷ bach swyddogol fe wnes i ddeall pam roedd y llawr yn goleddu. Roedd pawb yn piso ar y llawr ac yn gadael i ddisgyrchiant fynd â'r piso lawr i'r cafn. Roedd yn afiach. Ond roedd nifer fawr o gefnogwyr mor llawn cwrw, roeddent yn osgoi'r tŷ bach yn gyfan gwbl a jyst yn mynd yn agored yn erbyn wal gyfleus y tu ôl i'r Bank.

Roedd y fan gwerthu te a choffi yn ddiddorol hefyd. Ar ôl prynu'r ddiod (mewn cwpan fflopi polysteirin tenau oedd yn achosi i'r te berwedig losgi'r bysedd) roedd yn fater o helpu eich hunan i siwgr oedd mewn basin enfawr plastig (bowlen golchi llestri) ond dim ond un llwy de oedd i gael. Un llwy de yn cael ei rhannu rhwng marchnad botensial o dair mil o gwsmeriaid am ddisgled o de. Beth oedd yn fwy o syndod oedd na wnaeth neb ddwyn y llwy!

Roedd y gêm gyntaf yna yn yr Adran Gyntaf yn erbyn Leeds. Dyma oedd pedwerydd tymor Tosh, y rheolwr ifanc penderfynol wrth y llyw. Roedd wedi atgyfnerthu'r tîm drwy ddefnyddio'i gysylltiadau â Lerpwl ac roedd yna sawl Sgowser adnabyddus yn y tîm erbyn hyn.

Ian Callaghan. Asgellwr oedd Callaghan, dal yn ddigon cyflym i fynd rownd amddiffynwyr ar y tu allan ac yn arbenigwr ar giciau cornel.

Tommy Smith. Amddiffynnwr caled iawn. Fe ddywedodd Shankly am Smith, 'Most players are born in the normal way, but Smith was carved from granite'. Mae'r stori'n mynd fod Smith wedi dweud wrth Wyndham Evans ei fod yn rhy neis tuag at y gwrthwynebwyr. Gweithiodd y seicoleg ar y gŵr caled o Lanelli ac fe ffurfiodd Smith ac Evans bartneriaeth yn y cefn oedd yn enwog am roi llond twll o ofn i unrhyw chwaraewr o'r tîm arall oedd yn meiddio rhedeg atyn nhw.

Ray Kennedy. Blaenwr ac arbenigwr ar benio'r bêl. Roedd Kennedy wedi colli ei le yn nhîm cyntaf Lerpwl ac roedd yn benderfynol o brofi ei fod yn dal yn sgoriwr cyson. Daeth yn ddyn targed gwych i Callaghan a Robbie James.

Yn ogystal â sêr Lerpwl roedd Tosh hefyd wedi denu nifer o sêr Cymreig i'r Vetch, yn cynnwys Leighton James (Burnley a Gorseinon), John Mahoney (Wrecsam), a'r Cymro Cymraeg Dai Davies o Lanaman, gynt o Everton a arwyddodd o Wrecsam am ei ail gyfnod ar y Vetch.

Roedd rhaid cael o leiaf un chwaraewr tramor yn y tîm yr adeg honno ac roedd Tosh wedi llwyddo i ddenu dau o Iwgoslafia i dde Cymru sef Dzemal Hadziabdic ac Ante Rajkovic. Roedd yr enwau yma yn lot gormod o her ar gyfer tshant, hyd yn oed i feirdd mwyaf creadigol y Bank. Galwodd pawb Hadziabdic yn 'Jimmy' am resymau amlwg.

Roedd tîm Abertawe i wynebu Leeds yn yr Adran Gyntaf ym mis Awst 1981 yn cynnwys chwe Chymro, tri Sais a dau Iwgoslaf. Enillodd yr Elyrch o bum gôl i un. Tair gôl i Latchford, un i Jeremy Charles ('good genes that boy') ac un i Alan Curtis i roi'r hufen ar y gacen. Roedd Abertawe wedi dinistrio un o glybiau mawr y cyfnod yn ei gêm gyntaf yn yr Adran Gyntaf.

Roedd Toshack yn iawn. Roedd Toshack wedi gwireddu'r freuddwyd. Trwy ddilyn egwyddorion ei athro Shankly, a thrwy gredu'n llwyr yn ei allu personol ei hun, roedd wedi llwyddo yn erbyn y ffactorau. Roedd y clwb di-nod o ddinas dlawd yn ne Cymru wedi dryllio'r cadwynau o ddiffyg hyder. Roedd yr Elyrch yn haeddu bod ar ben yr Adran Gyntaf achos roedd Toshack yn dweud bo' ni'n gallu chware'n well nag unrhyw wrthwynebydd. Gor-gyflawni nawr oedd nod yr Elyrch. O hyn ymlaen roedd cefnogwyr yr Elyrch yn ddilynwyr clwb mawr. Clwb mawr oedd yn mynd i gynrychioli Cymru yn yr Adran Gyntaf ac yn Ewrop. Dim mwy o dangyflawni, dim mwy o ddisgwyl colli, dim mwy o feddylfryd y 'clwb bach o Gymru'.

Bellach does dim llawer o gefnogwyr pêl-droed oedd yn fyw adeg tîm Toshack wedi gorfod mabwysiadu tîm o Loegr i'w gefnogi er mwyn cael rhyw fath o sicrwydd o lwyddiant. Doedd dim rhaid i ni gael y sicrwydd o ddilyn un o gewri'r Brif Adran a chael tîm o Gymru fel ail dîm, rhyw fath o bolisi yswiriant yn erbyn y siom o golli'n barhaol. Mae llwyddiant y tîm wastod yn neis ac mae colli gêm bob amser yn ddiflas a hyd yn oed yn boenus os mai Caerdydd yw'r gwrthwynebwyr. Byddaf yn dilyn yr Elyrch os yn gwneud yn dda neu beidio, does dim ots. Mae dilyn tîm fel Abertawe yn brawf wythnosol o ffyddlondeb a chymeriad. Os ydych chi moyn gweld diweddglo hapus bob prynhawn Sadwrn, man a man eich bod chi'n mynd i wylio sioe gerdd *The Lion King*.

Nid yr Elyrch a chynnwrf trydanol y North Bank oedd yr unig resymau pam fod y Vetch mor bwysig i fi. Roedd mynd i weld y pêl-droed gyda Nhad neu fy ffrindiau yn rhoi diddordeb i ni, rhywbeth i'w rannu, rhywbeth i'w ddilyn, rhywbeth oedd yn gyffredin. Roedd mynd i'r Vetch yn golygu Hot Dogs a Bovril, perygl a tshanto. Ond yn bwysicach fyth, roedd yn cynnig testun sgwrs i Nhad a fi. Fe ddechreuon ni drafod chwaraewyr a digwyddiadau, a pha mor ddifrifol oedd safon y dyfarnu. Fe barhaodd hyn nes i Nhad basio yn 2001.

Dyma yw gogoniant a phwysigrwydd pêl-droed i ddynion. Mae'n rhoi rhywbeth i ni siarad amdano sydd ddim yn lletchwith. Pwy sydd am siarad am deimladau a stwff emosiynol pan allwch chi fod yn trafod campau Robbie James?

'Pwy oedd y chwaraewr gore heddi boi?'

'Robbie James, Dad.'

'Yffach, ma troed chwith bert gyda'r boi na.'

7.
Gwynfyd

Ishe byw gyda ti, llanw'r tŷ gyda miwsic,
Ishe byw gyda ti, llanw'r tŷ gyda chân,
Gitâr electric, gitâr acwstic,
Un acordion French, un harmonica.

Cytgan:
Clywed nhw'n gweud 'man gwyn man draw':
Ma 'ngwynfyd i yn fan-hyn.

Ar ôl i ni setlo, deith pawb rownd i aros
Wel ambell i fiwso ac ambell i fardd,
Gewn ni gig yn y gegin a jam yn y garej,
Bydd y bois yn y band yn tŷ 'ware mas yn yr ardd.

Bach o Mozart a Skynyrd, a lot fawr o'r Trwynau,
Bach o reggae Bob Marley a lot fawr o Ska,
Bach o Dylan a Springsteen a lot o Meic Stevens,
Lot fawr o fiswsic a llwyth o gitârs.

Gwynfyd fan-hyn

Mae cerddoriaeth yn gyffur i fi, cyffur sydd wedi fy nghadw i fynd drwy nonsens dyddiol y byd addysg am chwarter canrif, a chyffur mae'n rhaid i fi'i gael er mwyn ymlacio. Dw'i ddim yn cofio un cyfnod yn fy mywyd i heb gerddoriaeth ac rwy fwyaf hapus pan fydda i yng nghwmni cerddorion eraill yn siarad miwsig.

Mae'r ferch o Port wedi gorfod dioddef yr obsesiwn yma am bron i dri degawd ac mae yna agweddau o'r obsesiwn yn niwsans. Er enghraifft, os fydd cân dda yn dod ar y radio ar ganol sgwrs, bydda i'n gorfod gwrando ar y gân yn hytrach na pharhau gyda'r sgwrs. Anaml fydd hyn yn digwydd gyda Radio Cymru ymlaen yn ystod y dydd. Ond os yw rhaglen Rhys Mwyn ymlaen ar nos Lun, fydda i'n gorfod canolbwyntio ar bob cân. Yr ail broblem yw'r casgliad o gitârs sydd adre yn Abergwili.

Mae yna dair ar ddeg yno ar hyn o bryd, rhai dw'i wedi'u casglu a rhai dw'i wedi'u creu. Byddaf yn esbonio i'r ferch o Port eu bod nhw i gyd yn cael eu defnyddio (celwydd noeth!). Dyw hi ddim erioed wedi achwyn am y gost sydd wedi mynd mewn i'r casgliad gitârs. Yr unig gŵyn yw'r lle mae'r offerynnau yma yn ei gymryd yn y tŷ. Yn y stafell fyw mae yna ddwy gitâr acwstig ac un gitâr drydan allan yn barhaol, a dwy gitâr drydan mewn casys tu ôl i'r soffa – jest rhag ofn.

Dechreuodd y diddordeb gyda chanu yn y capel a Thad-cu Wendal yn cyfeilio gyda'i arddull piano llaw-chwith-yn-jwmpo, jest fel Fats Domino. Er nad oedd canu yn y capel ddim at ddant pawb, dysgais yn gloi fod hon yn ffordd dda o gael sylw, taffins ac weithiau arian oddi wrth bobol hŷn. Parhaodd y diddordeb mewn i'r Ysgol Gynradd yn Lôn Las lle cefais gyfle i fod yn rhan o ganeuon actol. Rwy'n cofio un gân actol yn glir sef 'Taith i'r Traeth'. Roeddwn i a fy ffrind Wayne Day yn gorwedd ar *air beds* ar lawr ac yn esgus bwyta hufen iâ oedd wedi ei wneud allan o wlân cotwm. Y rheswm bod y gân actol yma'n aros yn y cof yw fy mod i wedi tynnu'r plwg allan o wely Wayne ar ganol perfformiad ar lwyfan rhagbrawf yr eisteddfod. Roedd y ddau ohonom ni fod i esgus torheulo'n braf yn hollol lonydd ar draeth. Ond yn hytrach fe wnes i dorri mas i chwerthin yn uchel tra roedd yr aer yn hisian allan o wely Wayne ac yntau'n suddo'n araf i'r llawr. Mae'r stŵr a'r slap â sliper gefais i fel cosb yn dal yn fyw yn y cof.

Yn Ysgol Ystalyfera cefais y cyfle i ddysgu chwarae'r ffidil. Câi pawb ddysgu chwarae offeryn yn yr ysgol, a chyfle i fod yn y gerddorfa gyda Mr Richards, pennaeth yr adran gerdd. Byddwn yn mwynhau'r gwersi cerdd mas draw, a'r plant oedd yn y gerddorfa yn ffeind. Roedd cario'r ffidil ar y bws i'r ysgol fodd bynnag yn fater gwahanol. 'Double decker' hen-ffasiwn oedd y bws gyda'r plant iau yn eistedd ar y llawr isaf a'r plant hŷn yn eistedd ar y llawr top. Ar y sedd gefn ar y llawr uchaf roedd y disgyblion drwg, yn cynnwys tri brawd o Winsh Wen, sef ardal eithaf caled ar waelod y cwm.

Roeddwn i wastad yn eistedd ar lawr gwaelod y bws ond roeddwn yn hwyr yn dod o'r gwersi un prynhawn a phob sedd saff yn llawn. Roedd y seddi ar y llawr gwaelod yn diflannu'n gloi am fod neb am orfod mentro lan y grisiau i sŵ anifeiliaid y plant hŷn oedd ar y llawr top. Doedd dim dewis gen i ond dringo'r staer yn araf ac yn llawn ofn. Eisteddais lawr yn dawel bach ym mhen blaen y llawr top gan obeithio na fyddai neb yn sylwi ar y crwt bach Blwyddyn Saith oedd yn cario ffidil. Towlais bip sydyn tuag at y sedd gefn ac roedd dau o'r tri brawd yno. Roedd yr hynaf, a'r gwaethaf, sef Kevin, yn smocio sigarét er nad oedd y bws wedi gadael maes parcio'r ysgol. Kevin oedd yn rheoli'r llawr top. Ie, y Brenin Kevin o Winsh Wen. Tynnodd y bws bant a chariodd pawb ymlaen i siarad yn Saesneg gyda'r gair oedd yn cychwyn gydag 'F' yn britho'r sgwrsio. Roeddwn yn mawr obeithio nad oedd neb wedi sylwi arna'i.

Teithiodd y bws yn araf bach drwy Odre'r Graig ac ymlaen i Ynysmeudwy. Roedd wncwl gyda fi'n byw yn Ynysmeudwy ac roeddwn wedi ystyried neidio bant o'r bws fanno a ffonio Mam o dŷ Wncwl Richard. Ond roedd pawb yn dal i fy anwybyddu, felly arhosais yn fy sedd gan fagu'r ffidil. Yna wrth i ni dynnu allan o Drebanws daeth gwaedd o'r sêt gefn:

'Rosser, give us a tune on ew fiddle!'

Dyna'r peth gwaethaf allai fod wedi digwydd. Roedd y Brenin Kevin wedi aros ei gyfle yn amyneddgar. Ond nawr roedd yr hunllef ar fin dechrau.

'I said Rosser, give us a tune on ew fiddle!'

Erbyn hyn roedd y llawr top i gyd yn dawel, a phawb yn edrych arna'i gan ddisgwyl ymateb. Fi'n cofio dymuno bod y bws yn crasho neu'n torri lawr er mwyn i fi gael dianc. Daeth ateb pathetig crwt Blwyddyn Saith o rywle.

'I'm not allowed to get the fiddle out of its case on the bus.'

Roedd hyn fel taflu petrol ar y fflamau. Crwt bach Blwyddyn Saith yn meiddio gwrthod gorchymyn gan y Brenin Kevin, ond hefyd yn dal i ddilyn rheolau'r ysgol fel bachgen bach da. Ar ôl i'r chwerthin a'r gwatwar dawelu, trodd Kevin at ei ffrindiau a dweud,

'Cheeky little bastard, boys. I reckon ten minutes in the cooler'.

Roedd y *'cooler'* yn air o ffilm boblogaidd y cyfnod, sef *The Great Escape*, lle'r oedd yr actor Steve McQueen yn cael ei gaethiwo mewn cell solitary confinement bob tro y câi ei ddal yn ceisio dianc o'r gwersyll garchar. Roedd y criw ar dop y bws yn defnyddio'r gair 'cooler' i gyfeirio at y gofod oedd o dan y sedd gefn ar gyfer storio bagiau.

Daeth y brawd ifancaf draw i fy hebrwng o'm sedd a'm harwain i'r 'cooler'. Roedd yn debyg i seremoni eisteddfodol gyda phawb yn barchus dawel. Doedd dim llawer o bwrpas i fi ddadlau nac wmladd. Cerddais at y sedd gefn yn llesg. Safodd y Brenin Kevin ar ei draed ac agorodd y sedd gefn a dringais mewn i'r 'cooler' a swatio lawr, yn dal yn magu'r ffidil. Caeodd y Brenin Kevin y sedd ac eistedd lawr ar ei phen fel nad oedd gobaith dianc. Aeth yn dywyll iawn.

Sefais yn y *'cooler'* yn dawel bach yn y *foetal position* am beth oedd yn teimlo fel oriau. Sylweddolais ar ôl tipyn fod sŵn y siarad â'r chwerthin wedi stopio a gwthiais y sedd lan yn slow bach a phipo mas. Dim ond un crwt oedd ar ôl ar flaen y bws. Edrychais allan drwy'r ffenest ac roedden ni ar stop yn Chemical Row yn Nhreforys. Chemical Row oedd y stop olaf, a therfyn y daith. Roeddwn wedi bod yn y 'cooler' am bum stop yn ormod ac roeddwn i ddwy filltir o adre. Mae'n rhaid bod y Brenin Kevin wedi anghofio amdana i. Ar ôl i'r teimlad ddod nôl i'r coesau, eisteddais ar y sedd gefn a rhyfeddu at y graffiti oedd yn addurno cefn y seddi: 'SCFC kill CCFC', 'SLADE' a 'TRACEY LUVS KEV' ynghyd â sawl llun gwael o organau rhyw. Es i bant o'r bws yn Chemical Row a dechrau cerdded. Roeddwn awr yn hwyrach na'r arfer erbyn cyrraedd y tŷ ond doedd Mam ddim yn un i banico. I ddweud y gwir, roedd lot llai o bwyslais ar gadw amser bryd hynny ond roedd popeth yn dal i gael ei wneud.

'Ti'n hwyr was. Beth sy mla'n de?'

'Dim byd, Mam. Bws wedi torri lawr.'

'Ma fe'n warthus bo nhw'n defnyddio'r hen fysus 'na i gario plant. Ma ishe i rywun weud rwbeth.'

Roedd Mam yn hoff o ddweud bod ishe gweud rhywbeth ond doedd hi ddim yn un i gwyno. Roedd Nhad yn gwneud digon o ffŷs ar ran pawb.

'Ma dy fwyd yn y ffwrn. Pei yw e, ond gad beth i dy chwaer.' Ar ôl yr ail blatied o bei ardderchog a gadael llond llwy i fy chwaer, dechreuais deimlo'n well. Roedd yn amser torri'r newyddion i Mam.

'Mam, fi moyn rhoi lan gwersi ffidil!'

'O. Fi'n gweld. Wel na fe sbo. Difaru byddi di.'

A dyna oedd diwedd y ffidil, a diwedd gyrfa ddisglair mewn cerddorfa fyd-enwog. Dechreues gael gwersi piano gyda Miss Sims ym Môn-y-maen. Roedd Miss Sims yn bianydd gwych ac yn organydd yng Nghapel y Cwm, Bôn-y-maen ymhell mewn i'w 90au. Roedd y gwersi yn draddodiadol iawn ac yn seiliedig ar hen faes llafur graddau piano y Royal School of Music. Rwy'n cofio dysgu sgêls a mwy o sgêls, darnau clasurol, darllen o gopi, chwarae o'r glust a mwy o sgêls. Roedd Miss Sims yn fenyw garedig ond roedd yn strict a mynnodd bo fi'n gwneud yr arholiadau RSM. Roeddwn yn dda yn ware o'r glust ond yn anobeithiol mewn darllen nodiant neu 'ddarllen y dots'.

Fe wnes i'r camgymeriad o ollwng y gwersi piano yn 14 mlwydd oed ar ôl cyrraedd Gradd 6. Er mwyn pasio Gradd 6 roedd yn rhaid gwneud arholiad theori yn ogystal â'r arholiad chwarae, a dyna oedd yr hoelen olaf yn yr arch. Rhybuddiodd pawb fi y byddwn yn difaru rhoi'r gorau iddi. A rhaid cytuno, gan fod y methiant i ddarllen cerddoriaeth wedi fy nal i'n ôl o ran chwarae mewn sioeau cerdd a chyfeilio. Mae'r wybodaeth o sgêls wedi dod yn ddefnyddiol iawn. Os ydych chi yng nghanol solo wrth chwarae'n fyw ac ar goll yn niwl y frwydr, fe fydd gwybodaeth o sgêls a pha nodyn i'w ddewis nesaf yn cynnig dihangfa o sefyllfa letchwith. Mae gwybodaeth o sgêls yn rhoi dihangfa saff i gerddor sydd ar goll yn y solo – fel 'emergency exit'.

Brynes i'r gitâr gyntaf yn 13 mlwydd oed o siop John Ham the Music Man yn Abertawe. Roedd yn offeryn ail-law a chostiodd £180. Roedd y gitâr yn rybish. Hondo 2 oedd y gwneuthuriad ac roedd wedi ei gwneud mewn ffatri yn Tsieina acha brynhawn dydd Gwener. Roedd yn amhosib ei thiwnio am fod y gwddw'n gam ac roedd yna gymaint o bellter rhwng y tannau a'r ffretbord fel bod hi'n amhosib chwarae'r offeryn yn bellach lan na'r pumed ffret. Er gwaetha'r ansawdd echrydus a'r ffaith fod yr offeryn wastod allan o diwn, roeddwn yn meddwl fod y gitâr yn grêt. Roedd hi'n goch gyda dau picyp lliw arian; copi gwael o gitâr Chuck Berry.

Daeth chwarae'r gitâr rad yn obsesiwn a byddwn yn chwarae bob dydd ar ôl ysgol. I ddweud y gwir, roeddwn i'n methu aros i gyrraedd adre er mwyn dechrau chwarae. Mae gan Brian Adams linell yn ei gân 'Summer of 69' y gall pob gitarydd uniaethu gyda hi, sef 'Played it 'til my fingers bled'. Fe wnes i chwarae a chwarae'r gitâr goch nes bod topiau'r bysedd yn caledu a dysgais fy hun i ware cordiau syml. Roedd yna siop recordiau cŵl yn Abertawe o'r enw Derreck's Records, ac rwy'n cofio prynu record sengl cyntaf The Damned yno, sef 'New Rose'. Hwn oedd cychwyn cerddoriaeth Pync, a hwn oedd y peth gorau glywes i erioed. Wnes i chwarae'r record drosodd a throsodd a chwarae'r gitâr rad gyda'r gân er nad oedd ampliffier gen i. Ar ôl y Damned, fe ddaeth albyms Stiff Little Fingers a 'White Riot' gan The Clash, a dysgais i ware pob cân ar bob un o'r albyms.

Roedd fy hen ffrind Meirion o Dreforys hefyd yn ymddiddori mewn miwsig ac wedi dysgu cordiau syml fel fi. Byddem yn jamio gitâr gyda'n gilydd ac yn dechrau mynd i gigs mewn neuaddau pentref gan fandiau Pync lleol.

Roedd yna dipyn o sîn cerddoriaeth byw yn ardal Abertawe'r adeg honno. Byddai'r bandiau gorau lleol yn chwarae yn y Coach House yn Wind Street a'r Adam and Eve yn yr High Street yng nghanol y ddinas. Yn ogystal roedd bandiau mwy yn cael eu denu i'r Top Rank yn Abertawe ac i'r Moonraker yn Llanelli lle gwelsom ni gig anhygoel gan Stiff Little Fingers.

Yn 1980 roedd yr Eisteddfod Genedlaethol yn Nyffryn Lliw ac roedd y Trwynau Coch yn chwarae yn y Top Rank. Roedd y gig yn un fythgofiadwy a'r band yn ddylanwad enfawr. Roedd gan y Trwynau bopeth – yr egni, gwaith gitâr gwreiddiol Dods a'r ffaith eu bod nhw'n canu am bethau perthnasol yn y traddodiad Pync. I fi, roeddynt cystal band â'r Clash, ac i goroni'r cwbl roeddynt yn fois Cwmtawe. 'Wastod ar y tu fas' yw un o fy hoff ganeuon erioed:

> 'Yn yr ysgol, yn y gampfa,
> fi yw'r un sydd heb Adidas,
> fi wastod ar y tu fas'.

Hollol wych ac yn gwmws fel byddem ni i gyd yn teimlo weithiau. Bydde Meirion a fi yn sôn am gychwyn band Pync, un Cymraeg wrth gwrs fel y Trwynau Coch. Yna fe ddaeth Meirion â'r newyddion syfrdanol ar iard yr ysgol – roedd wedi cael cynnig ymuno â 'covers band' ar y gitâr fas. Enw'r band oedd y Sand Band, ac roeddynt yn cael eu talu am gigs. Roeddwn i'n falch drosto ond yn llawn cenfigen ar yr un pryd. Roedd llwyddiant Meirion hefyd yn golygu stop ar y freuddwyd o gychwyn band Pync Cymraeg.

Roedd y Sand Band yn chwarae'n rheolaidd yn nhafarnau Treforys a Chlydach. Roedd Meirion yn ifancach na gweddill y band, oedd yn feddw dwll tra'n chwarae. Roedd yr yfed yn cymryd blaenoriaeth dros y chwarae. Craig oedd enw'r gitarydd, a gweddol yn unig oedd safon ei chwarae heblaw pan fyddai'n chwarae'r solo ar 'Free Bird' gan Lynyrd Skynyrd. Roedd y solo hon yn wych ganddo, pob nodyn yn berffaith a'r sŵn ar y gitâr jest fel y record. Ar ôl un perfformiad o 'Free Bird' gofynnais iddo ddangos i fi sut i chwarae'r solo:

'No way mush,' ddaeth yr ateb. 'Took me ages to work that one out boy!'

Felly nôl â fi i'r stafell wely lle dysgais i 'Free Bird' ar fy mhen fy hun. Ar ddechrau'r chweched dosbarth roeddwn i'n dal heb gychwyn band pan ddaeth Meirion â'r newyddion syfrdanol eto ei fod wedi ymuno â band New Romantic yn ardal Cwmafon. New Romantic oedd y ffasiwn nesaf ar ôl Pync gyda bandiau fel Visage, Depeche Mode a'r Human League yn boblogaidd o 1982 ymlaen. Dwedodd eu bod nhw'n chwilio am rywun i chwarae'r allweddellau ac roedd wedi fy awgrymu i. Haleliwia! Roeddwn wedi cael cyfle i fod mewn band o'r diwedd ac er mai synthesizers ac allweddellau yn hytrach na gitârs oedd y ffasiwn gyda'r bandiau New Romantics, roeddwn i wedi hurtio i gael y cyfle.

Buodd y band yn ymarfer mewn garej lan yng Nghwmafon. Dau frawd o Gwmafon, boi o'r enw Rhys Powell o Bont-rhyd-y-fen, Meirion a fi oedd y band. Roedd popeth yn gyffrous iawn ond doedd dim gitârs – allweddellau yn unig, er bod Rhys Powell yn gitarydd gwych, yn berchen ar Gibson Les Paul ac yn gallu chwarae 'Whole lotta love' gan Led Zep. Pan oedd y band yn cael saib byddai Rhys a fi yn jamio â'r gitârs a byddai'r canwr yn mynd yn grac am fod gyda ni fwy o ddiddordeb yn Led Zep na Depeche Mode.

'I don't know why you keep on fetching them guitars to rehearsals, boys. We're never going to use them.'

'Neilo, you're great on keyboard but shit on guitar. You're a classically trained piano player mun.'

Roedd hyn yn neis i'w glywed ond y cyfan fyddwn yn ei wneud oedd chwarae arpeggios lan a lawr yn ystod pob solo, yn gwmws fel oedd Miss Sims wedi fy nysgu i'w wneud. Roedd gallu chwarae rhain mewn sawl cywair yn gwneud i chi swnio'n 'classically trained'.

'Ew 'ave got to remember that Rick Wakeman was classically trained, see boys.'

Rhaid oedd derbyn unrhyw sylw positif oedd yn mynd, sbo.

Y gig cyntaf i'r New Romantics oedd yng Nghlwb Rygbi Tai Bach, gyferbyn â phrif fynedfa Gwaith Dur Port Talbot. Hwn oedd y gig byw cyntaf i fi erioed neud ac roeddwn yn nerfus ofnadwy. Yr unig brofiad o berfformio cerddoriaeth yn fyw oedd gen i oedd canu yn y capel. Roedd y clwb rygbi yn wahanol iawn i'r capel. Yn hytrach na dwsin o hen bobl ffeind oedd yn falch bod rhywun dan 80 wedi troi lan i ganu, roedd yna lond stafell o gyn-chwaraewyr rygbi gyda thatŵs salw o ddreigiau ar eu breichiau. Roedd y gynulleidfa yma am eich gweld chi'n methu. Casgliad o ddynion dosbarth gweithiol yn llawn lager a thestosteron gyda'u cariadon blond ac oren oedd yn llawn Babycham.

Aethon ni ymlaen a chyflwyno set o hanner awr o ganeuon gwreiddiol heb gitârs. Aeth e lawr yn uffernol! Doedd ffyddloniaid y clwb rygbi ddim yn deall beth oedd y band yn ceisio'i wneud. Ond yn hytrach na heclo, eistedd yn dawel gyda golwg o anghrediniaeth ar eu hwynebau wnaethon nhw. Aethon ni o'r llwyfan mewn hast i'r stafell gefn, pawb yn ddigalon a neb yn siarad. Daeth rheolwr tew y clwb mewn i'r stafell.

'Bloody 'ell boys, what the fuck was that?'

Y canwr oedd arweinydd y band, ac fe esboniodd i'r rheolwr tew:

'It's called New Romantic music and it's massive in London.'

'I'm sure it is boys but it's not working in Port Talbot. Some of the boys were asking if you two are wearing make-up!'

Doedd y sgwrs ddim yn mynd yn dda ac roedd ar fin troi'n waeth.

'Yes, it's the New Romantic fashion!'

Roedd y rheolwr tew wedi cythruddo gydag agwedd y canwr, a'r ffaith ei fod wedi bod yn gwisgo colur yn ei glwb.

'Listen now boys, this is a tidy club and we don't want blokes wearing make-up in 'ere. Pack up and clear off!'

'What about our sixty quid?'

'Listen now boy. I've asked you tidy. Now fuck off! There'll be no sixty quid.'

Dechreuad anffodus i'r yrfa chwarae cerddoriaeth fyw. Roedd y canwr yn benderfynol o drefnu mwy o gigs ac aethon ni ymlaen i chwarae tipyn dros y misoedd oedd i ddilyn. Bu rhai o'r perfformiadau'n dda ac rwy'n cofio'r gig yn y Blue Scar Club ym Mhontrhydyfen yn un hynod o lwyddiannus. Serch hynny, doedd fy nghalon i ddim yn y band. Gormod o golur a dim digon o gitârs. Roedd hyn filltiroedd i ffwrdd o'r freuddwyd Pync. Ar ôl tri mis o gigs rheolaidd, roies i'r gorau i'r New Romantics.

Roedd y cyfnod i ddilyn yn un ansefydlog i fi. Nifer o swyddi di-nod, un cwrs coleg dibwys a pheth amser yn gweithio yn yr Almaen. Yna er mawr ryddhad i'm rhieni fe es i Aberystwyth yn 1986 i ddilyn cwrs Economeg a Busnes. Hyn oedd dechrau popeth – dyddiau Aber.

8.
Dyddiau Aber

Gitârs yn ystafell Al

Tair mlynedd dda yn enjoio mas draw,
Adeilad siâp jail, ystafelloedd llawn baw,
Ceri'n cynganeddu, Iest yn siarad rygbi
Chwech o'r gloch yn dod, tafarn Mansel Beechy.

Cytgan:
'Nôl yn nyddiau Aber,
Sŵn yn hala pawb lan y wal
'Nôl yn nyddiau Aber,
Gitârs yn ystafell Al.

Whare dros ein gwlad yng nghrysau gwyrdd Y Geltaidd,
Clatsio gyda Saeson, byth yn rhy boblogaidd,
Pencader oedd y tenor, Penclawdd yn canu bas,
Canu yn y Cŵps yn torri drwy'r cymylau glas.

Canu a phrotestio, pawb o dan y faner,
Ennill y Rhyng-Gol, y corau mawr a'r Gader,
Anghofiai byth mo'r adeg, wna'i byth anghofio chi
Ma' Al a fi dal yn canu am y dyddiau 'ny.

Top y Cŵps

Cefais fy hun yn Neuadd Breswyl Pantycelyn yn 1986, dair blynedd yn hŷn na phawb arall yn y flwyddyn honno. Dau uchelgais oedd gen i, sef dechrau band Cymraeg a dod o hyd i wejen oedd yn Gymraes.

Roeddwn eisoes wedi ysgrifennu nifer o ganeuon a chyfeilio i fy hunan ar y gitâr acwstig ac fe ddaeth cyfle i berfformio un o'r caneuon yn seler Neuadd Pantycelyn fel rhagbrawf i'r Eisteddfod Ryng-gol. Aeth y gân lawr yn dda, rhyw fath o gân blŵs syml, ac es i drwyddo i'r Eisteddfod Ryng-gol ym Mangor. O ganlyniad i fod yn hŷn na'r mwyafrif o'r myfyrwyr eraill yn fy mlwyddyn i, sylweddolais fod y Rhyng-gol ym Mangor yn gyfle euraidd i gael llwyfan. Felly yn hytrach na meddwi'n rhacs cyn perfformio'r gân, cymerais y perfformiad o ddifri ac arhosais yn sobor. Aeth y gân lawr yn dda a thrwy lwc, y beirniad oedd Geraint Davies o Hergest oedd yn gynhyrchydd i'r BBC ac fe ofynnodd i fi fynd i'r stiwdio yn Abertawe i recordio tair cân yn fyw.

Hwn oedd y cyfle, ac roeddwn yn benderfynol o gymryd pob mantais bosib. Penderfynais fod arddull blŵs ar gitâr acwstig yn wahanol a heb gael ei wneud lawer yn y Gymraeg, felly dyma fyddai'r steil gitâr. Roedd yna ddwsinau o ganeuon serch yn y Gymraeg yn sôn am gariadon perffaith, felly penderfynais mai caneuon am gariadon amherffaith fyddai'n taro. Doedd dim byd newydd yn hyn; mae nifer o ganeuon canu gwlad yn dilyn yr un thema.

Recordiais dair cân fyw yn Stiwdio'r BBC yn Heol Alecsandra, Abertawe ac er mawr syndod i fi, cawson nhw eu chwarae'n eitha aml ar y radio ar foreau Sadwrn. Serch hynny, doeddwn i ddim yn gallu gwrando ar y caneuon. Roedd y swn yn rhy denau a'r llais yn rhy uchel. Roedd angen band; roeddwn i am fod mewn band.

Lan y coridor ym Mhantycelyn roedd stafell Alun Edwards, boi o Benmaenmawr oedd yn dilyn cwrs gradd mewn Mathemateg. Roedd yna gryn sôn amdano fel gitarydd da, ac unwaith i fi ei glywed e'n chwarae gyda band o'r enw Arfer Anfad (grŵp arall o fyfyrwyr Aber) roeddwn yn deall beth oedd y ffws. Roedd e'n gitarydd gwych ac roedd ganddo gryn wybodaeth am gerddoriaeth. Daeth Alun a fi yn ffrindiau da ac aethom ati i chwarae mewn gigs yn y Cŵps, yr Angel a'r Llew Du yn Aberystwyth. Ond roedd angen rhythm pellach ac fe ymunodd Jerry Hunter â ni ar y congas. Americanwr cŵl oedd hwn, wedi dysgu Cymraeg. Cariodd y gigs ymlaen ond ddim llawer y tu fas i Aber. Yna yn 1987 sefydlodd Alun Llwyd a Gruffudd Jones label recordio Ankst a rhyddhau casét o fy nghaneuon i.

Roedd bois Ankst yn grêt am greu cyhoeddusrwydd i'w label ac i bawb o'u hartistiaid. Doeddwn i ddim yn cŵl ond roedd y label yn cŵl, ac roeddwn yn hapus i fod yn rhan ohono.

Dechreuodd y caneuon gael eu chwarae fwyfwy ar y radio ac roedd cynigion gigs yn dod mewn o bobman. Serch hynny, roedd y sŵn yn dal yn denau ac roeddwn yn dal i ysu am sŵn band llawn. Ymunodd Richard Wyn 'Dicw' Jones ar y drwms a gofynnais i'm hen ffrind Meirion o Dreforys ymuno ar y bas. 'Neil Rosser a'r Partneriaid' oedd yr enw amheus ar fand oedd yn swnio jyst fel oeddwn i ei eisiau.

Gyda'r band yma, roedd cyfansoddi a pherfformio caneuon newydd yn hawdd. Roedd Meirion a Dicw fel y graig ac yn gallu creu grŵf oedd yn sylfaen dynn i bob tiwn. Roedd Alun yn creu *riffs* a *hooks* ar y gitâr yn ddiymdrech ac yn feistr llwyr ar yr offeryn. Roeddwn i'n canu'r piano Rhodes gan amlaf, offeryn oedd yn rhoi sŵn cynnes allweddellau o'r chwedegau. Roedd y band yn swnio'n dda i fi ac am y tro cyntaf medrwn wrando ar y caneuon heb i hynny fod yn brofiad poenus.

Roedd y gigs yn dod mewn hefyd, a'r adeg honno roedd yna bobl yn trefnu gigs Cymraeg dros bob cwr o'r wlad. Roedd chwarae tafarnau llai yn ein siwtio ni, ac o ganlyniad i'r ffaith ein bod ni'n fodlon chwarae mewn unrhyw le cawsom gigs tafarn rheolaidd yn Llandeilo, Tŷ Tawe, Clwb Ifor Bach, Dolgellau, Dinas Mawddwy, Llithfaen a Thop y Cŵps. Allan o'r rhain, gigs Top y Cŵps yn Aber oedd y mwyaf gwyllt. Byddai Elfed y perchennog yn gadael lot gormod o bobl mewn i'r stafell ac o ganlyniad byddai'r ardal o flaen y llwyfan fel rhyw 'mosh pit' cyn bod neb wedi meddwl am fathu'r term. Roedd yna bobl ar ben bordydd a rhai eraill yn pwyso allan o ffenestri'r stafell ac yn denu pobl mewn i'r dafarn o'r pafin. Roedd y stafell ar y llawr cyntaf! Byddai'r rhai gwylltaf oedd yn dawnsio yn y ffrynt yn taro stand y meic yn aml a byddai'r meic yn ei dro yn taro'r dannedd blaen. Roedd yr holl ymddygiad yn torri pob rheol Iechyd a Diogelwch oedd wastod yn cael eu gorfodi ar dafarnau. Roedd Top y Cŵps yn grêt.

Yn ystod haf 1989 roedd yr Eisteddfod yn Llanrwst a chawson ni gyfle i chware yn un o gigs y Gymdeithas mewn tafarn o'r enw'r Vic. Roedd yr hyn ddigwyddodd yn y gig yn

Llanrwst yn anffodus iawn. Bu yna ffeit, a dim jest ffeit rhwng dau foi meddw wrth y bar ond yn hytrach ffeit oedd yn cynnwys pawb yn y dafarn yn ogystal â phawb oedd yn y band. Rwy'n cofio rhoi fy ngitâr i Alun a neidio i'r dorf i ddal boi oedd yn hitio fy ffrind Dafydd Morse. Edrychais nôl i weld Dicw yn lansio'i hunan o ben y kick drum a mewn i ganol y dorf. Doeddwn i ddim yn browd o'r digwyddiad yn Llanrwst y noson honno ac rwy'n gobeithio na anafwyd neb yn ddrwg. Dyna oedd diwedd gigs yn y dafarn honno am yr wythnos. Cofnodwyd y digwyddiad gan Bryn Fôn: 'Brengain ddaeth â'r neges fod pybs y dre 'di cau'.

O ran cyfansoddi caneuon, roedd gen i syniad bod yna lot o ddeunydd diddorol i'w gael am ardal ddiwydiannol o'i gymharu â chanu am lefydd prydferth ond boring drwy'r amser, a doeddwn i erioed wedi bod yn Llydaw na'r Ynys Werdd. Ond ro'n i'n gyfarwydd iawn â Bôn-y-maen, Clydach a Threforys. Yn fy marn i, yn y llefydd tlotaf mae'r cymeriadau mwyaf lliwgar yn byw. Roeddwn am ganu am fywydau dyddiol, diflas y dosbarth gweithiol a chariad rhwng pobl salw – fel y pâr boncyrs oedd yn canu 'Carmen' ar y bws o Dreforys i Gelli Fedw bob nos Wener yn feddw gaib.

Roedd un o fy arwyr o gyfnod Pync, Ian Dury, wedi ysgrifennu caneuon fel 'Billericay Dickie' a 'Plaistow Patricia' oedd yn disgrifio cymeriadau East End Llundain. Gyda'r dewin Dury yn ysbrydoliaeth, ysgrifennais i gân o'r enw 'Seniora' oedd yn stori am ferch brydferth o dras Eidalaidd oedd yn styc yn gweithio mewn caffi yn Sgiwen. Ges i nifer o bobl yn dweud eu bod yn hoff o'r gân a nifer o rai eraill yn beirniadu am mai gwaelod Cwm Tawe oedd testun pob cân. Rwy'n cofio un erthygl yn fy ngalw i'n 'one trick pony'. Wel, mae un tric yn well na dim tric sbo! Penderfynais anwybyddu'r feirniadaeth. Wnaeth neb fyth feirniadu Lou Reed am ganu am New York byth a hefyd.

Nos Sadwrn Abertawe

Tu ôl y bar 'ma Sara
Ma hi ffaelu gweud bara
Ar ôl ifed gin trwy'r dydd.
Ma hi'n canu Carmen
Mewn acen o Banwen
A trial mynd bant gyda Steve.
Dyn y drws yw Steve
Tamed bach yn naïf
Bwyta steroids fel bwyta ffa,
Ma fe'n bartners gydag Aled
Sy rîli yn galed,
Mor galed ag Algebra.

Gydag Ankst yn ein cefnogi ni, a'r band yn swnio'n grêt i fi, yn 1990 aethom i recordio albym yn stiwdio Les, Bethesda, o'r enw *Ochr Treforys o'r Dre*. Roedd stiwdio Les fel ogof Aladin ac roeddwn wrth fy modd yno. Doedd ganddo braidd ddim offer, dim ond dwy stafell fach mewn selar ym Methesda a hen beiriant recordio 'reel to reel'. Dim yr offer oedd yn bwysig yn y stiwdio hon ond yn hytrach y cyfuniad o glust gerddorol Les a'i wybodaeth am gerddoriaeth. Rwy'n cofio cael y sgwrs yma gan y gŵr tawel.

'Ma isie rhoi harmonica lawr ar y trac yma, Les.'

'Ie, iawn,' medde fe. 'Pa sŵn dach chi isio? Sŵn harmonica Culture Club neu sŵn harmonica Neil Young?'

Nid yn unig oedd y boi yn gallu cael sŵn da allan o offeryn anodd gyda braidd ddim offer ond roedd hefyd yn gallu rhoi dewis i'r cerddorion am y math o sŵn roedden nhw'i eisiau. Tipyn o foi.

Awyrgylch hamddenol oedd yn stiwdio Les, gyda'r pwyslais ar y gân ac nid ar amser na'r arian. Roedd yn ddyn ei filltir sgwâr oedd yn adnabod nifer o gerddorion lleol fyddai'n hapus i wneud cymwynas a chwarae ar unrhyw gân iddo. Mae yna offerynnau megis banjo a chornet yn ogystal â lleisiau Jackie a beicar enfawr lleol o'r enw Jake ar yr albym am fod Les yn adnabod pawb. Pan nad oeddem yn recordio roedd y sgwrs gyda Les am gerddoriaeth neu am fwyd neu acenion Cymraeg. Roedd wedi ei syfrdanu gyda thafodiaith Meirion a finnau.

'Hogia, be dach chi'n ddeud am bacwn?'

'Cig moch, Les.'

'Da 'de. Fatha cig mochyn de. Hogia, be dach chi'n ddeud am noethlymun?'

'Borcyn, Les.'

'Borcyn,' medde fe gan chwerthin. 'Ffycin grêt, de.'

Erbyn cychwyn ar y gwaith recordio yn Stiwdio Les roedd yna aelod newydd i'r band, sef Gareth Edwards, oedd yn athrylith ar yr harmonica.

Cymeriad unigryw iawn oedd Gareth, yn ddysgwr Cymraeg a gafodd ei eni a'i fagu yn Weston Super Mare. Roedd Gareth yn hoff o'i beint i'r fath raddau ei fod weithiau ddim yn gallu chwarae yn y gig. Bu gig yn yr Emlyn Arms, Llanarthne lle'r ymunodd Gareth â'r gynulleidfa yn hytrach na bod ar y llwyfan gyda'r band. Gofynnodd perchennog y dafarn iddo dalu mynediad i'r gig ac atebodd,

'No way mate, I'm the harmonica player in this band.'

I fod yn deg, fe aeth nôl a blaen i'r bar i ni drwy'r nos.

Fe awgrymodd Alun ein bod ni'n cael 'life size cardboard cut-out' o Gareth ar gyfer y gigs pan oedd yn absennol ond yn lle hynny rhoesom lun bach pasbort ohono ar flaen y llwyfan – jôc fach y band.

Er gwaetha cymeriad anwadal Gareth, roedd yn werth ei gael e yn y band yn gyntaf am ei sgiliau ar yr harmonica ond yn fwy pwysig am ei fod yn hollol honco bonco. Yn ystod haf 1990 roeddem yn gwersylla yn adeilad hen Ysbyty'r Chwarel yn Llanberis gyda ffrind o'r enw Rhys Croesor oedd yn warden ar y parc a'r llyn. Fel rhan o'r atyniadau i dwristiaid roedd yna drên bach stêm yn mynd o gwmpas Llyn Padarn. Penderfynodd

Gareth y byddai'n syniad da i ni i gyd fynd mewn i'r llyn yn ein pants tra bod e'n esgus ein bedyddio ni a'n tynnu ni allan o'r dŵr gerfydd ein gwallt ar yr union foment pan oedd y trên bach yn llawn ymwelwyr yn dod rownd y gornel. Wrth i rywun gael ei 'fedyddio', byddai'r gweddill yn cerdded allan o'r dŵr yn ara deg gan godi llaw ar y twristiaid yn y trên bach. Golygfa annisgwyl iawn i unrhyw un oedd yn edrych ymlaen at fwynhau'r golygfeydd o'r trên bach yn mynd o amgylch Llyn Padarn ar brynhawn Sul. Dw'i heb weld Gareth ers yr haf hwnnw. Rwy'n gobeithio ei fod yn iawn a bod pawb oedd yn dyst i'r 'bedyddio' yn Llyn Padarn hefyd yn fyw ac iach.

Rhyddhau *Ochr Treforys o'r Dre* oedd mwy neu lai diwedd y band yma. Cafodd Alun swydd athro Mathemateg yn Sir Fôn; dechreuodd Dicw ar yrfa academaidd lwyddiannus yn Aber; aeth Meirion i weithio fel rheolwr i fwrdd dŵr yn y Trallwng; a dwi ddim yn siŵr beth ddigwyddodd i Gareth Edwards. Dyma sydd yn digwydd i fandiau. Mae'n hawdd bod mewn band heb gyfrifoldebau gwaith a theulu, a phawb yn byw yn yr un lle. Ond mae'n anodd pan fydd pawb ar wasgar.

Hwn oedd y cyfnod hapusaf. Dyddiau Aber 1986-1989.

9.
Yr idiot yn y dorf

Cân yw hon am chwarae'n fyw:
Ymlith pob crowd, ymlith pob criw
Ma wostod un enaid dwl byw,
Yr idiot yn y dorf

Chi bownd o fod yn nabod e,
Ma' un i ga'l yn unrhyw dre
Meddwl ei fod e bia'r lle,
Y meddwyn yn y dorf.

Mae'n hoff o fynd i boeni bands
Yn yfed lager mas o cans,
Esgus fod e'n bach o ffan,
Yr idiot yn y dorf.

Ma'r idiot nawr wrth ei fodd,
Falch iawn bo fe wedi dod,
Sylw yw ei unig rodd,
Yr idiot yn y dorf

Nawr ma'r boi bach moyn ail go
Mae wedi bod yn aros tro,
Gall e fyth 'neud niwed, sbo,
Yr idiot yn y dorf.

"Hei bois, trowch e lan,
Fi ddim 'di clywed hon o'r bla'n,
Smo chi'n gallu chwarae'n well?
Hei bois, gwnewch fwy o stint,
Fi wedi talu pedair punt,
Fi wedi dod i weld chi o bell".

"Dewch hogie mwy o dân
Fi wedi clywed hwn o'r bla'n,
Beth am rywbeth bach newydd?
Na, na rwbeth hen,
Dewch nawr bois 'cha bod yn fên,
Chi'n eitha da neu i fi'n gweud celwydd?"

"Hei bois, fi moyn go,
Beth am ganu Jac y do?
O jiw, shw ma fe'n mynd?"
"Hei bois, ni yma o hyd,
Fi'n digwydd gwbod rhain i gyd,
Dere nawr 'ware fe ffrind."

Dim idiots fan hyn

Mae gan Ian Dury gân o'r enw 'Sex & Drugs & Rock & Roll' sydd i fod grisialu'r profiad o chwarae mewn band. Nid yw fy mhrofiad i yn debyg o gwbl i hynny ac mae 'cwrw, tships a roc a rôl' yn ddisgrifiad mwy addas.

Dw'i ddim yn dweud am funud fod pob band ar y sîn Gymraeg wedi byhafio fel angylion. Mae yna ddigon o straeon am bartïon gwyllt yn dilyn gigs y 70au ym Mlaendyffryn a Chorwen. Ond ar y cyfan mae'r sîn yn eitha parchus.

Mae yna stori rwy'n dwlu arni sy'n mynd fel hyn. Band Cymraeg yn mynd i Gaerdydd i recordio rhaglen deledu S4C o'r enw *Stid*. Cynhyrchydd y rhaglen yn cynnig talu i'r band sefyll mewn gwesty yn Cathedral Road. Y band yn eistedd yn y stafell ar lawr cyntaf y gwesty yn meddwl beth fedren nhw wneud oedd yn weithred wallgo a 'roc a rôl'. Un o'r aelodau yn cynnig taflu'r teledu bach du a gwyn oedd yng nghornel y stafell allan o'r ffenest yn gwmws fel byddai The Who yn arfer gwneud.

Doedd neb yn y band yn fodlon cyflawni'r weithred. Roedd y teledu yn eiddo i'r fenyw fach neis oedd yn rhedeg y gwesty. Felly allan â nhw i brynu teledu bach rhad o Currys a mynd â fe nôl i'r gwesty er mwyn ei daflu allan drwy'r ffenest.

Yn anffodus roedd y stafell ar y llawr cyntaf, nid y llawr top, ac roedd y lawnt yn feddal iawn ar ôl sawl diwrnod o law. Arhosodd y teledu mewn un darn. Penderfynodd y band bod y teledu yn haeddu 'byw', felly rhedodd un aelod allan i'r lawnt, sychu'r mwd oddi ar gornel y teledu a dod â fe nôl i'r llofft.

Dilynodd dadl fawr am bwy ddylai gadw'r set deledu, a chan ei fod yn amhosib penderfynu pa fyfyriwr tlawd oedd fwyaf haeddiannol, dyma adael y teledu bach lliw newydd ar ben yr hen deledu bach du a gwyn yng nghornel y stafell. Mae'r gwesty'n dal yno ac wedi newid dwylo erbyn hyn ac mae'r twll bach yn y lawnt ffrynt wedi hen ddiflannu. Alla'i ddim datgelu pwy oedd y band.

Y realiti o fod mewn band Cymraeg yw bod y rhan fwyaf o'r amser yn cael ei dreulio yn cario stwff – wyth deg y cant o'r amser yn cario amps ac offer sain, ac ugain y cant o'r amser yn chwarae. Ma' isie stamina i gadw i fynd. Digon o nerth i gario offer trwm a'r amynedd i fod mewn fan yn gyrru adre am dri o'r gloch y bore. Felly ar gyfer y bennod hon, yn hytrach na storis am bartïon gwyllt ffug, byddaf yn rhoi crynodeb o'r bandiau bues i'n rhan ohonynt a rhai o'r gigs mwyaf cofiadwy.

Y Partneriaid oedd y band ddechreuodd yn Aber tua 1988 ac a barodd tan tua 1993. Roedd y band yn brysur mewn cyfnod pan oedd hi'n bosib chwarae gig Cymraeg bob yn ail benwythnos. Yr aelodau oedd Alun Edwards (gitâr), Meirion Turner (bas), Richard Wyn Jones (drwms) a Gareth Edwards (harmonica). Roedd y band yma'n siwtio gigs bach mewn tafarnau a hyn, yn ogystal â'r ffaith fy mod i wedi buddsoddi mewn system sain fach, oedd yn golygu ein bod ni'n fishi. O ran gigs cofiadwy, heblaw am y noson ofnadwy yn nhafarn y Vic yn Eisteddfod Llanrwst 1992, y Paxton Arms yn Llanarthne fydde hwnnw.

Mae'r Paxton Arms (yr Emlyn Arms erbyn hyn) yng nghanol pentref Llanarthne yn nyffryn Tywi. Roedd y perchennog yn Sais rhonc oedd yn gwisgo siacedi melfed a chrysau gwyn yn llawn ffrils. Roedd ganddo wallt hir du a barf taclus. Roedd yn edrych yn debyg i Shakespeare. Boi gwahanol a bachan digon neis. Ond yn ôl y sôn roedd ganddo dymer ofnadwy. Yng nghefn y dafarn oedd yr ystafell ddigwyddiadau oedd yn cael ei defnyddio ar gyfer ciniawau a phriodasau. Cyn y gig roedd y perchennog wedi'n croesawu ni a'n hebrwng ni drwodd i'r stafell.

'As you can see it's a lovely room, just right for a gig,' meddai. 'The small stage is ready for you and here are the electric sockets. I would ask you one thing gentlemen. Is that OK?'

'Yes. Ask away,' medde Meirion oedd yn hoff o drafod gyda pherchnogion tafarnau.

'We have a wedding here next weekend and if you look up to the ceiling you will notice there is a huge net which holds one hundred balloons. They will be let loose during the cutting of the cake. On no account are these balloons to be let loose tonight.'

Newidiodd tôn ei lais wrth iddo bwysleisio difrifoldeb y sefyllfa gyda'r balŵns.

'Is that clear, gentlemen?'

Sylweddolais wrth iddo fe ddweud hyn pam roedd ganddo enw'n lleol am rywun i beidio'i groesi.

'Is that clear, gentlemen?' medde fe 'to.

'Yes of course. We will respect the balloons'.

'Thanks lads. Let's have a great night'.

Unwaith y gadawodd Shakespeare y stafell, dechreuodd y sgwrs am y balŵns. Roedd Gareth yn gymeriad drygionus oedd yn fodlon gwneud unrhyw beth am laff. Roedd cael Gareth yn y band yn gallu cynyddu'r lefelau stress i fi.

'Bois, ma' gyda fi syniad! Yn ystod y gân olaf, wna i jwmpo off y llwyfan, rhedeg i'r cefn, tynnu'r rhaff a bydd y balŵns i gyd yn dod lawr. Bydd e'n ffab! Bydd pawb yn meddwl bo ni wedi plano fe. Bydd pawb yn bwco ni achos bo nhw'n meddwl fod *balloon display* yn rhan o'r nosweth,' medde Gareth.

Roedd Alun Edwards yn gall ac yn bwyllog ac yn gallu rheoli Gareth heb greu dadl.

'Gwell peidio, Gareth. Ni ddim moyn colli arian ar y gig a byth cael gwahoddiad nôl.'

Cyn i ni fynd ar y llwyfan roedd Shakespeare yn mynnu'n cyflwyno ni.

'Apologies my dear friends, I don't speak Welsh, but a warm welcome to you all to the Paxton.'

Roedd y boi'n swnio'n posh ac yn llawn swache wrth annerch y dorf. Roedd wedi newid ei siaced werdd felfed am siaced goch felfed gyda ffrils y crys gwyn yn sticio mas o'r llewys. Aeth ymlaen.

'I wish to ask one favour of you before the band starts. You will notice above you approximately one hundred balloons enclosed in a net.' Yna newidiodd y llais. 'On no account must these balloons be released during tonight's performance!'

Edrychodd y saithdeg o bobl oedd wedi dod i gael siaclad mewn gig Cymraeg yn od arno. Roedd wedi rhoi stŵr i bawb cyn dechrau. Profodd y bregeth i fod yn gamgymeriad. Gethon ni bawb lan i ddawnsio ar ôl y drydedd gân. Yn ystod y bedwaredd gân tynnodd rhywun y rhaff a gollwng y balŵns. Erbyn i ni orffen y pymthegfed gân, sef diwedd y set, nid oedd un balŵn ar ôl. Bostio balŵns fu prif weithgaredd y noson.

Fel oedd yn digwydd, yfodd Gareth gymaint o Speckled Hen y noson honno, oedd e'n methu chwarae. Eisteddodd wrth y llwyfan a chlapio'n frwdfrydig ar ôl pob cân. Roedd yn feddw dwll ac yn ddieuog o dynnu'r rhaff. Nid Gareth oedd yr 'idiot yn y dorf'.

Doedd Shakespeare ddim yn hapus o gwbl ond roedd e'n iawn gyda ni. Roedd bownd o fod wedi gwneud yn iawn wrth y bar (jest allan o yfed y band) ac fe dalodd e ni'n llawn. Boi iawn oedd y perchennog. Fe ddes i i'w adnabod mewn blynyddoedd i ddod fel Mike, un oedd yn gyn-filwr ac yn arbenigwr mewn 'martial arts'. Roedd Mike yn gefnogol i'r sîn Gymraeg ac aethom ni nôl i'r Paxton droeon ar ôl noson y balŵns ond fe gadd e agoriad llygad y noson honno am natur cynulleidfa gigs Cymraeg.

Y Strabs oedd y band cyntaf ar ôl dyddiau Aber a'r aelodau oedd Dafydd Jones (wedyn Adrian Davies – drwms), Iestyn Evans (bas) a Dwylan Thomas (allweddellau). Daeth y Strabs yn boblogaidd gyda Mudiad y Ffermwyr Ifanc a thros gyfnod o dri haf fe wnaethon ni chwarae mewn sawl Sioe Amaethyddol. Y gig cofiadwy i'r Strabs oedd Sioe Amaethyddol Gors Goch ar ddechrau'r nawdegau.

Mae ffermwyr ifanc yn wych am drefnu ac roedd Sioe Gors Goch yn enghraifft o sut i drefnu sioe dda. Treiler mewn un cornel o'r babell ar gyfer y llwyfan, *generators* y tu ôl i'r llwyfan ar gyfer y trydan a bar yr ochr arall i'r babell. Mae dwsin o ffermwyr ifanc yn gallu troi pabell mewn i neuadd berfformio mewn wincad. Nhw yw'r bobl mwyaf dyfeisgar ac ymarferol sydd ar y blaned. Fi wastod wedi meddwl bo ni'n lwcus mai ffermwyr ac nid arolygwyr Estyn sydd yn gyfrifol am fwydo'r wlad.

Seto ni lan ar y treiler, cael soundcheck a wedyn ymlacio. Y cytundeb oedd ein bod ni'n gwneud set fer am 8.30 ac yna set hir am 10.00 pan fyddai pawb wedi dod mewn i'r babell. Dechreuon ni chware gyda 30 o bobl wrth y bar a'r mwyafrif yn dal tu allan ar noson hyfryd o haf. Roedd popeth yn mynd yn iawn nes bod ffarmwr crac yn rhedeg mewn i'r babell yn gweiddi,

'Beth yffarn yw'r blydi sŵn ma? Chi'n ypseto'r cŵn defaid! Ma'r ffycin ffeinal mlân tu fas a ma'r cŵn yn mynd yn bananas!' Stopion ni chware'n syth ac fe drïes i ymresymu gyda'r ffarmwr crac yn dawel bach.

'Ni'n flin iawn bo ni'n ypseto'r cŵn defaid, ond ma' nhw wedi gofyn i ni neud set fach tan naw o'r gloch.'

''Na fe. Beth bynnag ma' nhw'n talu i chi wna i dalu ecstra i chi fod yn dawel. Ma' rhaid i'r sŵn 'ma stopo nawr!'

A fel 'na buodd hi. Talu band i fod yn dawel. Ond nid dyna oedd diwedd helyntion y gig. Yn ystod yr ail set yn tynnu at 11.00 y nos dechreuodd ffeit erchyll wrth y bar. Y dyddiau hynny doedd yna ddim cymaint o ffŵs am gael bownsers yn bresennol ac fe adawodd pawb lonydd i'r ddau foi mawr ifanc hemo'i gilydd yn ddidrugaredd. Ar ddiwedd yr ornest waedlyd, wledig roedd un o'r ffermwyr yn fuddugol a daeth yn amlwg beth oedd asgwrn y gynnen wrth iddo weiddi,

'Dere lan 'co os ti moyn gweld ffycin sheds!' Ie, dadl oedd hi am bwy oedd â'r sheds gorau.

Aeth gweddill y noson yn grêt. Anghofiodd pawb am y ffeit yn gloi iawn ac roedd y ffarmwr oedd wedi cwyno am y sŵn yn dawnsio erbyn hanner nos. Falle taw fe enillodd y gystadleuaeth cŵn defaid. Noson gofiadwy yn Gors Goch.

Ar ôl y Strabs, ges i gynnig gan glarinetydd o Gaerfyrddin o'r enw Alun Williams i ymuno gyda band *trad jazz*. Roedd y band eisoes yn bodoli ac yn brysur gyda phriodasau a phartïon.

Roedd Alun yn awyddus i wneud stwff Cymraeg felly ymunes i â'r band er mwyn canu, chwarae'r banjo ac addasu rhai o'r caneuon i'r Gymraeg. Galwon ni'r band Y Bysgars. Aelodau gwreiddiol y Bysgars oedd Halden Williams (trwmped), Chris Ryan (sacsoffon), Rob James (drwms), John James (piano) ac Alun Williams (clarinét). Roedd rhain i gyd yn gerddorion ardderchog a phrofiadol ac yn darllen cerddoriaeth. Pawb, heblaw fi.

Er 'mod i wedi cael gwersi piano pan o'n i'n grwt, roedd y ddawn o ddarllen y dots wedi hen ddiflannu ac roeddwn yn ddibynnol ar chware o'r glust, sydd yn amhosib os yw'r gân yn anghyfarwydd. Roedd bod yn aelod o'r band hwn yn her gyda phawb yn chwarae drwy alawon jazz yn ddiymdrech, a fi'n stryglan i ddysgu siapiau cordiau jazz newydd ar offeryn newydd.

Doedd y Bysgars byth yn ymarfer. Byddai Alun yn rhoi'r 'pads', sef y manuscripts cerdd, allan i bawb ar ddechrau'r gig, yna'n galw rhifau'r caneuon mas a byddai pawb yn chwythu drwy'r caneuon yn ddi-ffwdan. Roedd pawb arall mor dda, yn enwedig Alun ar y clarinét. Gallai Alun ddod â deigryn i sawl llygad wrth chwarae 'Stranger on the Shore' yn ystod dawns gyntaf mewn priodas. Alun yw'r cerddor gorau i fi chware gydag ef erioed.

Byddai aelodaeth y Bysgars yn newid o gig i gig. Roedd gan Alun sgwad o gerddorion oedd e'n gallu gofyn i chwarae. Un o gigs rheolaidd y Bysgars oedd Carnifal Abergwili, gig bach lleol oedd yn llafur cariad. Roedd Alun yn gofyn i bobl chwarae yn y carnifal ar sail pwy oedd ar gael yn hytrach na phwy oedd yn dda. Ar gyfer carnifal roedd yn gofyn i bobl oedd yn fodlon chware am gwrw.

Nid yw'r gallu i yfed lot o gwrw yn ddawn arbennig o unrhyw ddisgrifiad ond mae'r gallu i yfed lot o gwrw a chwarae offeryn ar gefn lori sydd yn gyrru drwy stryd fawr pentref Abergwili yn ddawn brin iawn. Ar gyfer y gig yma roeddwn yn gorfod gwisgo i thema 'Robin Hood' ac o achos fy niffyg gwallt a fy maint penderfynwyd mai Friar Tuck ddylswn i fod. Friar Tuck ar y banjo.

Cyn yr orymdaith drwy'r pentref a lan sha ganol tref Caerfyrddin roedd y fflôts i gyd wedi'u parcio ym maes parcio'r amgueddfa. Cwpwl o beints cyn dechrau felly. Dechreuodd y prynhawn bant yn anffodus i fi wrth i'r ferch o Port nodi na ddylswn i eistedd gyda'm coese ar agor ar ben y lori. Sai'n gwybod os oedd mynachod yn gwisgo pants o dan yr habit ond roedd yn ddiwrnod crasboeth ac roedd angen bach o awyr iach o rywle. Sai'n credu bod neb wedi sylwi. Wel, gobeithio ddim! Dechreuodd yr orymdaith yn iawn. Fflôt y jazz band sef 'Robin Hood and his Merry Men' oedd yn arwain y ffordd a phenderfynodd Alun bod ni'n mynd i chware 'When the Saints Go Marching In'. Roedd popeth yn mynd yn iawn, y band yn swnio'n grêt, pawb mas ar y stryd a Friar Tuck yn hemo'r banjo gyda'i goesau ar gau.

Ar ben draw pentref Abergwili mae yna rowndabowt, a dyma ble ddechreuodd y broblem. Am ryw reswm, penderfynodd gyrrwr y lori gyflymu ychydig cyn cyrraedd y rowndabowt. Roeddwn i'n eistedd ar ymyl y lori yn ddigon jocôs ar y banjo pan ddaeth gwaedd oddi wrth John James. Troies i rownd i weld y piano yn symud ac ar y ffordd i fy hyrddio i ebargofiant. Roedd John, druan, yn hongian ymlaen wrth ochr arall y piano ac yn sgrechian nerth ei ben.

Doedd trigolion Abergwili erioed wedi gweld mynach yn symud mor gloi. Neidiais o ffordd y piano ond neidiodd gweddill y band ar ben yr offeryn, oedd o fewn troedfedd i ddisgyn bant o gefn y lori a malu'n yfflon ar yr hewl. Yn ystod y panic o neidio allan o ffordd y piano roedd gwisg Friar Tuck wedi symud, a'r tro hwn roedd nifer helaeth o boblogaeth Abergwili wedi sylweddoli nad oedd mynachod yn gwisgo pants.

Doedd gyrrwr y lori ddim yn ymwybodol o'r gyflafan oedd yn digwydd y tu cefn iddo nes i rai o'r dorf fynd allan i'r hewl a gweiddi arno i stopio. Gorfod i'r holl brosesiwn, a oedd yn hanner milltir o hyd, aros nes bod ni wedi clymu'r piano'n sownd wrth y lori. Dysgais wers bwysig y prynhawn hwnnw. Peidiwch byth yfed chwe pheint cyn gwisgo lan fel mynach a chware'r banjo ar gefn lori heb i chi wisgo pâr o bants deche.

Yn 2002 ffurfiwyd y band presennol, ac fe fyddwn ni'n dal i gynnal ambell gig os nad yw'n rhy stressful. Dw'i ddim yn hoff o ganu a ffryntio band erbyn hyn, ond ar y llaw arall rwy'n hoff o gwmni'r bois yma. Yr aelodau presennol yw Andy Davies (drwms), Iestyn Evans (bas), Iwan Evans (sacsoffon). Yn y blynyddoedd cynnar roedd Gethin Saunders (trwmped) a Gareth Roberts (trombôn) hefyd yn y band.

Cafodd y band yma ei hurio i chwarae gig mewn gwesty yn Hirwaun ar gefn noson oedd wedi'i chynnal yn yr un lle i rieni disgyblion Ysgol Rhydywaun ychydig fisoedd cynt. Cyrhaeddon ni westy'r Galti mewn da bryd i osod yr offer, cael soundcheck a chydig o fwyd. Dechreuodd y gynulleidfa droi lan am 7.30. Am ryw reswm, dim ond menywod oedd yn troi lan ac roedd y mwyafrif yn cario bag bach dillad gyda nhw. Yn lle eistedd wrth y bordydd a chael diod aeth y menywod i'r tŷ bach i newid dillad. Erbyn 8.30 roedden nhw i gyd wedi newid mewn i ryw fath o wisg 'Country and Western'. Hanner cant o fenywod wedi gwisgo fel Dolly Parton, ac un boi oedd bownd o fod yn yrrwr y bws.

Dechreuon ni chware. Doedd neb yn dawnsio, neb yn cymeradwyo a neb yn dweud dim, pawb jest yn syllu arnon ni. Neb yn siarad Cymraeg. Roedd yn boenus i bawb. Ar ôl hanner awr wedes i,

'Diolch yn fawr, byddwn ni nôl mewn deg munud am yr ail set'.

Dim ymateb. Ambell Dolly Parton yn mynd i'r bar i lenwi eu peints o lager. Daeth un Ms Parton lan ata i.

'Excuse me, luv, can I have a word? Has anybody told you that we are the Hirwaun Line Dancers?'

'No sorry. We're a Welsh band, we played here a couple of weeks ago for Rhydywaun school and Joan the owner booked us for tonight.'

'Oh, I see. Joan's gone see luv. Nobody knows where. Anyway luv, you're going down shit. Play something we can line dance to.'

Es i draw i esbonio'r sefyllfa i'r bois a daeth Iwan lan â syniad i'n cael ni allan o'r picil. Mae geiriau 'Suzi'n Galw' yn ffitio'n gyfleus i dôn 'Honky Tonk Woman' gan y Stones. Penderfynon ni drial hwnna ar ddechrau'r ail set. Roedd rhaid trial rhywbeth.

'Ok, we're back,' wedes i wrth y Dolly Partons, ac yna brawddeg ddaeth yn jôc ymhlith y band am flynyddoedd i ddod sef 'You can line dance to this one'.

Erbyn diwedd yr intro ar y drwms roedd pawb allan yn dawnsio mewn llinellau syth perffaith. Roedd yn bleser eu gweld. Rhai mawr a rhai bach, rhai tew a rhai tenau, Dolly Partons o bob siâp yn dawnsio llinell yn berffaith. Nethon ni ymestyn y gân i gynnwys solo ar y trwmped, solo trombôn, solo gitâr, solo sax ac wedyn ailadrodd deirgwaith. Aeth e lawr yn grêt. Ar gyfer yr ail gân wnaethon ni 'Adnabod Cerys Matthews' ac fe wnes i gyflwyno'r gân drwy ddweud 'You can line dance to this one'. Unwaith eto aeth y gân lawr yn grêt gyda'r Dollys yn gwneud gwahanol 'routine'.

Yn ystod yr ail gân (wythfed cytgan) sylwais fod yr unig foi wedi codi a gadael. Dim ots, meddyliais, gallwch chi fyth blesio pawb. Wedi'r cwbl roedd pawb arall mas yn dawnsio. Ond na, mynd allan i newid oedd y boi, a daeth nôl mewn i'r stafell reit ar ddiwedd y gân wedi gwisgo fel G.I. Joe.

Gorffennon ni'r ail gân wrth i G.I. Joe ddod mewn. Roedd ar fin cymryd ei le yng nghanol yr ail res pan orffennodd y gân. Roedd y siom yn amlwg yn ei wyneb ac roedd ganddo lais merchetaidd iawn.

'You can't stop now bois. I've only gone and changed into my G.I. Joe outfit.'

'Ok,' medde fi, mewn picil arall achos dim ond dwy gân oedd yn mynd i weithio fel cyfeiliant i ddawnsio llinell.

'Would you mind then if we did the first one again?'

'No luv,' oedd yr ateb nôl wrth 49 o ferched dawnsio llinell ac un G.I. Joe. A dyna ffordd fuodd hi. Nôl a blaen rhwng dwy gân oedd wedi'u hymestyn yn afresymol o hir am awr gyfan gyda dawnswyr llinell Hirwaun yn mynd drwy bob symudiad oedd yn bodoli.

Dysgais wers bwysig y noson honno – os y'ch chi wedi derbyn gig yn Hirwaun a chi ddim yn siŵr beth yw e, gwnewch yn siŵr bod yna ddigon o ganeuon yn y set sydd yn addas ar gyfer dawnswyr llinell.

10.

Merch y ffatri ddillad

Merch y ffatri ddillad, mwynder Maldwyn yn dy wên,
Gwaith sydd yn dy flino di, ond tithe dal yn glên,
Gwynfyd glannau'r Dyfi, yng ngwlad y blewyn glas,
Meddal yw pob acen a phrin yw'r geiriau cas.

Cytgan:
Arwres Gymreig yn dod o arall fyd.
Realiti ffatri ddillad, does dim mêl na gwin
Sŵn gwichian peiriant gwinio a rybish Radio Un,
Cysur mawr yw'r baned a thynnu'n drwm ar sigarét
Ma' 'na glecs i gael eu rhannu a gosod ambell fet.

'Wy wedi 'wilo am y werin a thrafod lawer gwaith
Syniadau ifanc stiwdant, sorto'r byd cyn mynd mas am saith,
Ond nawr fi wedi deall, nad bywyd coleg yw y nod
A tithe lot yn gallach heb gap na gown na chlod.

Merch y ffatri ddillad

Y swydd gyntaf ges i ar ôl gadael coleg oedd gweithio i gwmni dillad Laura Ashley yn y Drenewydd. Ymunais â chynllun hyfforddi graddedigion y cwmni, cwrs hyfforddi rheolwyr y dyfodol. Roedd gweithgynhyrchu dillad yn ddiwydiant amlwg yng nghanolbarth Cymru yr adeg honno ac roedd gan y cwmni wyth o ffatrïoedd rhwng Wrecsam a Machynlleth gan gynnwys ffatri bapur wal enfawr yn y Drenewydd o'r enw Texplan.

Ymunes i gyda chwech o raddedigion busnes eraill yn 1989 ac fe gawsom ni lety dros dro gan y cwmni am y pythefnos cyntaf yng ngwesty'r Elephant and Castle yn y Drenewydd. Rwy'n cofio'n glir y noson gyntaf yn y gwesty pan esboniodd y barman bod y cwmni'n talu am bob pryd bwyd nos. Ges i stecen gyda saws pupur a chwpwl o beints bob nos am bythefnos.

Roedd y gwaith ar y dechrau yn ddiflas. Mynd o gwmpas yn treulio diwrnodau hir yn arsylwi ar waith y rheolwyr uwch yng

Ngharno a'r Drenewydd tra roedd yr adran Adnoddau Dynol yn ceisio penderfynu ble i'n lleoli ni'n barhaol. Roedd pencadlys gweinyddol y cwmni yng Ngharno, yn ogystal â ffatri ddillad fawr. Roedd yn rhyfeddol faint o gyfoeth oedd yn yr ardal o achos y cwmni. Roedd yn syndod hefyd gymaint o Gymry Cymraeg yr ardal oedd yn gweithio i'r cwmni ac mewn swyddi oedd yn talu cyflogau da.

Fe wnes i sylwi bod y gallu i siarad Cymraeg yn fantais fawr ar y cychwyn. Fi oedd yr unig Gymro Cymraeg ymysg y graddedigion dan hyfforddiant, a Saeson oedd mwyafrif y rheolwyr er taw Cymraeg oedd iaith y ffatrïoedd yng Ngharno a Machynlleth. Roedd yna nifer fawr iawn o reolwyr yn y cwmni.

Ar ôl y pythefnos cyntaf, ges i lety gyda boi arall o'r enw Rhodri oedd ar yr un rhaglen hyfforddi. Daeth cyfle i rentu tŷ ar stad tai cyngor y Vaynor yn y Drenewydd. Lle da i fyw mewn tref oedd yn ffynnu ond oedd yn llawn pobl o rywle arall. Pobl o bobman ond neb o'r Drenewydd. Roedd boi rwff canol oed yn rhedeg y dafarn ar y stad. Gofynnodd i fi fynd allan o'i dafarn un noson pan droies i lan yn gwisgo crys Abertawe. Roedd wedi symud yno o Ely ac roedd yn gwrthod cael Jacs yn yfed yn ei dafarn. Croeso i'r Drenewydd!

Aeth chwe mis heibio ac roeddwn i'n dechrau danto. Roedd yr adran Adnoddau Dynol yn dal heb benderfynu i ba ffatri y byddwn yn gweithio. Roedd y gwaith o wneud prosiectau bach i Adnoddau Dynol yn ddiflas – treial gwneud arbedion bach o ran costau sefydlog. Roeddwn hefyd yn hiraethu am gwmni'r ferch o Port oedd wedi cael swydd yng Nghaerfyrddin. Roeddwn wedi diflasu, ac ar ôl chwe mis penderfynais adael a chwilio am swydd yng Nghaerfyrddin.

Drannoeth, ar ôl cyflwyno fy notis, ges i a Rhodri orchymyn i fynd i swyddfa Mr Overton yn syth. Roeddwn heb gwrdd â Mr Overton, oedd yn adnabyddus ymysg gweithwyr y cwmni fel boi teg a chanddo enw da. Arhosodd Rhodri a finne y tu allan i'w swyddfa ychydig yn ofnus. Roedd e'n gweiddi lawr y ffôn at rywun ac roedd yr iaith yn frith o regfeydd. Teimlwn fel crwt drwg yn aros y tu fas i swyddfa'r prifathro. Ar ôl ychydig funudau clywais swn y ffôn yn cael ei slamio lawr ac yna:

'Come in, come in you little toe rags!'

Safai Mike Overton y tu ôl i'w ddesg. Dyn bach crwn gyda wyneb coch. Gwisgai fodrwy sofren aur ac roedd ganddo watsh aur enfawr ar ei arddwrn trwchus.

'Lads, lads, lads, sit down lads.'

Roedd gan Mr Overton acen gref y Cocni. Roedd y dyn yn gyfuniad o Danny De Vito ac Alan Sugar. Gofynnodd i ni'n blwmp ac yn blaen beth oedd y ffwlbri hyn o adael y fath gwmni? Disgrifiodd ein penderfyniad fel 'bollocks' a'n disgrifio fel 'toe rags' eto. Ond yn hytrach na'n taflu ni allan, gwahoddodd ni i weithio iddo ef yn bersonol. Roedd arno ein hangen, meddai, gan ei fod yn boddi mewn gwaith. Ei union eiriau oedd,

'My balls are in a vice on a daily basis. What d'you say, lads?'

Roedd y boi yn awyr iach. Dim nonsens, ond yn syth i'r pwynt. Cyn i ni ddweud unrhyw beth roedd Mr Overton wedi symud ymlaen eto.

Setlwyd y mater yn y fan a'r lle a gorchmynnodd ni i fynd bore trannoeth i helpu trefnu priodas yn ardal Lerpwl drwy ddewis a darparu ffrogiau priodas i'r morynion. Anfonodd ni i gasglu car ar gyfer y siwrnai, sef VW Golf. Taflodd yr allweddi ar y ddesg ynghyd â'r cyfeiriad angenrheidiol a'n gwahodd i letya dros nos yno os mynnem. Edrychodd Rhodri a finnau yn syn arno. Roedd y swydd wedi newid o wneud dim i achub priodas fawr yn Lerpwl. Cytunodd Rhodri a fi i weithio i Mr Overton ac aethom i ffeindio'r car. Roedd Mr Overton yn chwifio'i law ac yn barod yn deialu rhif newydd ar y ffôn. Ffarweliodd â ni gyda'r geiriau,

'Cheers, and don't let me down, lads.' Ac yna, 'And call me Mike, lads'.

Golf GTI oedd y car, un oedd ar yr adeg yn freuddwyd i unrhyw ddyn ifanc. Cymerodd Rhodri a fi ein tro i yrru ac annog y car ar hyd hewlydd troellog y canolbarth. Fe gasglon ni'r ffrogiau priodas mewn da bryd a ffonio Mr Overton. Roedd mewn panic newydd a dechreuodd weiddi lawr y ffôn. Roedd am i ni ddychwelyd ar unwaith. Roedd hi'n greisis yn y ffatri yn Leyton ac roedd ein hangen yno i setlo'r mater gyda'r rheolwr, Mr Patel.

A dyna sut fu'r swydd am y flwyddyn nesaf, rhedeg rownd i Mr Overton mewn Golf GTI yn diffodd tanau ar ei ran. Roedd gweithio iddo fel cael tocyn oes i wneud unrhyw beth a fynnem yn y cwmni. Roedd wedi dweud yn blwmp ac yn blaen wrth yr adran Adnoddau Dynol na fyddai angen i Rhodri na finnau ddilyn unrhyw gyrsiau hyfforddi dibwys. Roedd e'n mynd i fod yn fentor personol i ni ac roedd e'n mynd i ddysgu popeth i ni am y diwydiant dillad.

Doedd dim angen gradd i wneud y swydd hon ond roedd yn sbri a chawsom amser i'r brenin. Symudais gelficyn derw i ddal teledu mewn i un o dai Richard Branson, es i Marseilles i brynu darn o offer torri defnydd, a symudom ni stwff dirifedi mewn ac allan o un o westai Bernard Ashley yn Llanfair-ym-Muallt. Yn ogystal â hyn roedd yna dripiau diddiwedd, ninnau'n gyrru fel ceits yn y Golf GTI i geisio datrys un argyfwng ar ôl y llall i Mr Overton. Ddes i'n hoff iawn o'r dyn fel bòs, ac ar ôl rhai wythnosau daeth Rhodri a finne yn hapus i'w alw fe'n Mike. Roedd yn ddyn ffeind yn y bôn ond byddai'n cynhyrfu'n gloi a gallai golli'i dymer yn hawdd. Rhaid bod pwysau gwaed Mike druan yn uchel drwy'r amser.

Roedd yn ddechreuad tawel i'r diwrnod un bore Llun, a Rhodri a finnau yn disgwyl yn y swyddfa am alwad Mike i weld beth fyddai cwrs y dydd. Galwodd Mike ni mewn. Roedd mewn hwyl ryfedd. Eisteddai wrth ei ddesg yn dweud dim, fel petai rhywbeth mawr o'i le. Rhodri oedd y cyntaf i siarad.

'Where's the bollocks that needs sorting today, boss?'

Chwerthin wnes i; roeddwn mewn hwyliau da am taw fy nhro i oedd gyrru'r Golf. Ond doedd Mike ddim yn chwerthin. Yr oedd, meddai, mewn picil go iawn. Nid hwn oedd y Mike arferol. Dyma ofyn iddo – beth oedd y broblem? Dechreuodd esbonio'r sefyllfa. Roedd pencampwriaeth golff wedi'i threfnu gan Bernard Ashley ei hun, ac roedd Mike wedi'i gynnwys yn nhîm Carno. Roedd wedi cytuno i wneud heb ystyried y ffaith nad oedd erioed wedi chwarae'r gêm. Roedd y gystadleuaeth i'w chynnal ymhen tair wythnos yn y Drenewydd.

Doedd Mike ddim y teip i gymysgu â'r rheolwyr eraill. Dyn dosbarth gweithiol o Romford yn Llundain oedd Mike, ardal nad yw'n enwog am golff. Syllodd Mike arnom yn ddwys. Doedd dim ond un ffordd allan. Byddai'n rhaid i fi a Rhodri gymryd ei le. Roedd y syniad o fynd i chwarae golff ar ddydd Sadwrn gyda llwyth o reolwyr hŷn y cwmni yn wrthun i fi. Roedd y Sadyrnau yn golygu mynd i weld y ferch o Port a gigs. Dim golff. Roedd yn rhaid meddwl am ffordd allan o hyn. Awgrymais felly y dylai Mike fynd allan am rownd o golff gyda Rhodri er mwyn ymgyfarwyddo â'r gêm. Cytunodd.

Daeth prynhawn dydd Gwener rownd yn gloi a dyma Mike yn cyrraedd yn ei wisg golffio newydd sbon. Roedd popeth yn newydd ganddo. Edrychai fel crwt bach Blwyddyn 7 ar ei ddiwrnod cyntaf yn yr ysgol uwchradd. Esboniodd ei fod wedi bod i'r siop ar gwrs golff y Drenewydd i brynu'r offer, a hefyd ei fod wedi cael dwy wers gyda'r golffiwr proffesiynol yno. Rhyddhad mawr i Rhodri a finnau o'dd bod Mike wedi penderfynu cael gwersi gan golffiwr go iawn. Roedd y ddau ohonom wedi chwarae'r gêm ac yn gallu bwrw pêl, ond yn bell iawn o fod yn golffwyr da.

Beth bynnag oedd ein safon ni, roedd Mike druan yn waeth. Roedd yn anobeithiol. Ar gyfartaledd roedd yn cymryd tair 'air shot' cyn cysylltu gyda'r bêl. Pan fyddai'n hitio'r bêl, byddai i'r cyfeiriad anghywir a doedd ganddo ddim syniad am reolau ac eticet y gêm. Mae pawb yn gwybod pa mor ffyslyd mae golffwyr yn gallu bod, ac am y mân reolau. Er enghraifft, byddai cerdded ar draws y lawnt yn cario'ch ffyn yn gyfystyr â sarhau mam eich gwrthwynebydd.

Doedd gan Mike ddim clem am yr eticet. Croesai ar draws

bawb. Pesychai pan fyddai golffiwr arall yn canolbwyntio ar bytio. Ac ar o leiaf ddau achlysur ceisiodd hitio pêl gwrthwynebydd. Yn ffodus, ar y ddau achlysur, methodd y bêl yn llwyr.

Dim ond naw twll yw cwrs Machynlleth, ond roedden ni'n tri yn dal ar y cwrs am 9.30 a'r golau'n dechrau gwaethygu. Roedd Mike wedi aredig y cwrs gan adael rhychiau y byddai'n bosib plannu tatws ynddynt. Yna drwy ryw ryfedd wyrth ar yr wythfed twll, trawodd Mike y bêl fach wen yn berffaith. Saethodd y bêl o flaen y clwb fel bwled allan o wn. Hedfanodd yn berffaith syth a glanio ddwy lathen o flaen y lawnt. Anhygoel!

'Bloody 'ell! Did you see that lads?'

'Great shot Mike,' meddai Rhodri a fi, hynny am y tro cyntaf wedi pedair awr o chwarae.

Roedd Mike ar ben ei ddigon. Un shoten fach lwcus, ac yn sydyn reit roedd yn golffiwr o fri.

'Right then lads. Looks like I've cracked it. Time for a pint. I think we're finished here.'

A draw â ni i'r bar. Roedd Mike yn wahanol berson nawr, yn llawn rhyw hyder newydd afrealistig. Yfodd ei beint o shandi mewn llai na phum munud, diolchodd i ni am ddysgu'r gêm iddo a neidiodd i'w Jag a'i throi am adre.

Chlywodd Rhodri a fi fyth wedyn am sut aeth hi yn nhwrnameint golff y rheolwyr. Mae'n deg dweud y basen ni wedi clywed digon amdano petai wedi bod yn llwyddiant.

Beth bynnag oedd ei gryfderau a'i wendidau, roedd Mike yn foi iawn ac o fewn blwyddyn roedd wedi cael y dyrchafiad y bu'n anelu tuag ato am flynyddoedd. Symudwyd Mike nôl i Lundain, Rhodri i Gresffordd a fi i Fachynlleth i fod yn rheolwr cynhyrchu. Roedd mis mêl y flwyddyn gyntaf drosodd, ac roedd yn amser nawr i ni ennill ein crwst.

Mae yna stad fach ddiwydiannol oddi ar y brif stryd ym Machynlleth. Nid yw ar ffordd yn arwain i unman ac felly dim ond trigolion y dre fyddai'n gwybod am leoliad y ffatri ddillad.

Gweithlu bach o 90 oedd yn y ffatri, y mwyafrif yn fenywod a'r mwyafrif helaeth hefyd yn Gymry Cymraeg. O'r pentrefi cyfagos fel Corris, Tywyn, Llanbrynmair a Mallwyd roedd y gweithwyr yn dod, yn ogystal â threfi Dolgellau a Machynlleth ei hun. Cyflogwr pwysig felly mewn ardal wledig. Mae'r ymadrodd 'Mwynder Maldwyn' yn berffaith wir am mai pobl hynod o ffeind a chroesawgar oedd menywod y ffatri ddillad. Roedd yna agosatrwydd oedd yn nodwedd amlwg ohonynt.

Mae myfyrwyr sydd wedi astudio yn Aber a byw ym Mhantycelyn yn hen gyfarwydd ag acenion gwahanol o bob cwr o'r wlad, ond roedd y dafodiaith hon yn ddierth i mi. Acen Sir Drefaldwyn yw'r bertaf o bob acen (heblaw Cwmtawe) ac roedd yr acenion yma'n gryf ac yn nodweddiadol o bobl sydd wedi gallu aros yn eu cynefin i weithio. Geiriau fel 'lodes' am ferch a 'côg bech' am grwt yn cael eu defnyddio'n naturiol gan bawb. Rwy'n cofio un adeg pan redodd Monica, un o'r arolygwyr, mewn i'r swyddfa gan weiddi,

'Tyrd yma wan, mae Eiriona druan fech wedi brifo ei llew.'

Doeddwn i ddim erioed wedi clywed 'llaw' yn cael ei galw'n 'llew' o'r blaen, ac am ychydig eiliadau bues i'n ceisio rhesymu pam fyddai Eiriona wedi dod â'r fath anifail i mewn i ffatri ddillad yn y lle cyntaf. Onid sŵ oedd y lle priodol i gadw llew? Bryd arall rhedodd Monica i mewn dan weiddi,

'Tyrd yma wan, mae yna gachgi bwm yn hedfan o gwmpas y ffatri!'

Duw yn unig wyddai beth oedd cachgi bwm, ond ffindies i allan mai am gacynen oedd hi'n sôn. Beth oedd mor hyfryd am hyn i gyd oedd bod y rhain yn Gymry dosbarth gweithiol oedd yn defnyddio tafodiaith naturiol am eu bod wedi aros yn eu pentrefi. Roedd y dafodiaith yn fyw. Mae'r Cymry weithiau yn ysu am dafodiaith er mwyn pwysleisio cysylltiad ag ardal. Y geiriau y byddwch yn dewis sy'n dangos ble mae'r gwreiddiau, ac mae gwreiddiau'n cŵl yn y Gymru gyfoes. Mae tafodiaith a thrafod geiriau sydd yn prysur ddiflannu yn obsesiwn parhaol i ni.

Roedd menywod peiriannau gwnïo Machynlleth yn gymeriadau cryf oedd yn gyfarwydd â gwaith caled. Dyna i chi Beti Pugh, a'i gwên lydan groesawgar. Hi fyddai'r gyntaf i gyfarch ymwelydd â'r ffatri. Byddai'n eistedd ar flaen ei linell ar y peiriant *overlocker*. Roedd yna barch mawr tuag at Beti ymysg y gweithwyr eraill am ei bod mor dda yn ei gwaith.

Roedd Menywod Mach yn cael eu talu yn seiliedig ar faint o waith fyddent yn ei gynhyrchu. Po fwyaf nifer y ffrogiau gorffenedig, mwyaf oedd y pae. Gelwir y system yma yn 'piece work' ac roedd y ffaith eu bod yn cael eu talu fesul uned yn golygu bod Menywod Mach yn hunan-gyflogedig. Roedd gweithio'n galed ac yn gyflym yn golygu mwy o bae ond roedd gweithio'n araf a chlebran yn golygu llai. Roedd Beti yno i weithio, ac roedd unrhyw un arall oedd am ennill arian da am fod yn rhan o dîm Beti. Roedd yna bump o fenywod yn eistedd mewn rhes y tu ôl iddi ac roedd hi'n eu cadw nhw'n brysur wrth iddi fwydo llif cyson o waith lawr y lein.

Maddeuwch i mi am fynd yn dechnegol ond mae peiriant gwnïo *overlocker* yn wahanol i beiriant gwnïo arferol. Mae'n torri ac yn plygu'r defnydd wrth iddo basio dan y nodwydd gan greu ymyl neu hem ar ddilledyn. Byddai person cyffredin yn dechrau leino lan y defnydd dair modfedd o flaen nodwydd y peiriant ac yna'n defnyddio pedal troed i reoli'r cyflymder wrth i'r defnydd gael ei dynnu o dan y nodwydd. Byddai Beti'n gallu leino lan y gwaith o leiaf ddwy droedfedd o flaen y nodwydd a'i fwydo i'r gyllell heb dynnu ei throed oddi ar y pedal, a hynny ffwl pelt. Wrth gwrs, byddai pob hem o'r safon uchaf a doedd byth angen iddi gywiro gwaith. I osod hyn mewn ychydig o gyd-destun, meddyliwch am olffiwr yn ceisio pytio gyda bat criced neu bysgotwr plu yn defnyddio coes brwsh fel gwialen. Roedd lefel y sgìl yn anhygoel.

Câi Menywod Mach amser penodol i gwblhau pob tasg ar bob steil o ddilledyn. Er enghraifft, byddai'r amser a roddid i oferlocio hem ar grys efallai yn bymtheg eiliad. Os byddai'r gweithiwr yn gallu gwneud y dasg o fewn yr amser penodedig, byddai'r gyflog am y dasg yn gant y cant. Os câi'r dasg ei chwblhau mewn 30 eiliad, byddai'r gyflog yn llai. Ond os câi'r dasg ei chwblhau o fewn saith eiliad, byddai'r gyflog yn uwch fyth. Unwaith roedd Beti wedi dysgu'r dasg ar unrhyw steil o ddilledyn, byddai'n gallu gwneud yn well na'r amser penodedig. Ni fyddai byth yn cymryd yr amser a ganiateid am egwyl, fore na phrynhawn, a byddai'n cymryd deng munud yn unig wrth ei chinio. Byddai wrth ei pheiriant cyn i fi gyrraedd y ffatri am wyth o'r gloch y bore a byddai'n aml yn aros ar ôl pump er mwyn gorffen y diwrnod gyda sgip gwag ar gyfer bore trannoeth.

Steve oedd mecanic y ffatri. Byddai'n cerdded y llawr yn ddyddiol yn trwsio pob peiriant. Roedd ganddo swydd anodd yn cadw Menywod Mach yn hapus am fod perfformiad y peiriant gwnïo yn effeithio ar gyflog y gweithwyr gorau. Byddai Steve yn aml wrthi'n gwneud newidiadau mân i *overlocker* Beti fel mecanic car Fformiwla 1 yn tiwnio'r injan yn ofalus er mwyn cael y perfformiad optimal. Beti oedd y gweithiwr gorau yn y ffatri. Wnâi dim byd ei hypsetio; roedd yn wên o glust i glust bob amser. O fore gwyn tan nos byddai peiriant Beti yn mynd ffwl pelt a'i dwylo celfydd yn bwydo milltiroedd o ddefnydd dan y nodwydd. Doedd dim byd yn trwblu Beti. Wel, heblaw am un bore Iau bythgofiadwy.

Bob dydd a thrwy bob dydd byddai Radio 1 ymlaen yn y ffatri, yn chwarae drwy sawl seinydd yn uchel er mwyn torri drwy sŵn y peiriannau. Ac am 10.30 bob bore byddai eitem 'Our Tune' ar raglen Simon Bates. Roedd 'Our Tune' yn rhoi cyfle i gariadon ddanfon cyfarchion. Byddai Simon Bates yn darllen y stori serch allan i gyfeiliant tiwn 'Romeo and Juliet' ac fel arfer roedd yna ddiweddglo trist cyn y torcalon yn y gân olaf, un a fyddai'n arwyddocaol i'r cariadon. Rybish llwyr, eitem rybish yng nghanol rhaglen yn llawn miwsig oedd yr un mor rybish. Yn wahanol i Fenywod Mach, roeddwn i'n casáu cerddoriaeth Radio 1 ac yn methu dioddef yr eitem 'Our Tune'. Roedd yn fore Gwener ac roeddwn i wedi bod allan y noson cynt. Roedd y pen yn dost, y bola'n wag a'r hwyl yn uffernol.

Gofynnais i Steve, oedd â gweithdy bach ar un pen o'r ffatri, ble roedd y radio yn cael ei chadw. Esboniodd ei bod mewn cwpwrdd o dan glo yng nghornel ei weithdy. Gofynnais i Steve pam roedd hi o dan glo.

'Mae'n bwysig iawn bod neb yn cyffwrdd â'r radio,' meddai, heb esbonio pam. Roeddwn yn benderfynol o gael ychydig o lonydd oddi wrth gerddoriaeth wael Craig David a chleber wast droëdig Simon Bates.

'Ti'n fodlon agor y cwpwrdd, plîs, Steve?'

Gwrthod wnaeth e gan ddweud, 'Mae'n bwysig iawn fod neb yn cyffwrdd y radio'.

Roeddwn mewn hwyliau gwael ac yn ddiamynedd. 'A wnei di agor y blydi cwpwrdd, plîs Steve!'

Yn erbyn ei ewyllys, ufuddhaodd Steve. Roedd y radio wedi ei chysylltu ag ampliffier bach ac yna drwy system o wifrau allan o'r cwpwrdd ac i bedwar seinydd oedd yn y prif adeilad.

'Dife ti wnaeth hwn i gyd Steve?' gofynnais i'r mecanic clyfar.

'Ie,' medde fe, ac yna, 'Mae'n bwysig iawn bod neb yn cyffwrdd y radio.'

Diffoddais y radio. Tawelwch hyfryd (heblaw am bedwar ugain peiriant gwnïo'n clatshan bant). Roedd y pen yn dal yn dost, ond o leia dyma gyfle i gael bore heb glebran annioddefol Simon Bates.

'Diolch Steve,' medde fi yn hapus gyda ngwaith. Ond roedd Steve yn siglo'i ben.

'Well i ti beidio â mynd allan i fanna,' meddai, gan bwyntio at y drws oedd yn arwain o'r gweithdy nôl i'r ffatri. Chwerthinais heb ddeall difrifoldeb fy ngweithred. Roedd y ffatri ar stop. Nid yn unig roedd sŵn y radio wedi stopio ond roedd sŵn y peiriannau gwnïo wedi stopio hefyd. Yn martsio tuag ata'i gyda'i bys yn pwyntio i'r awyr oedd Eiriona, sef cynrychiolydd undeb y gweithlu.

'Be haru ti? Beth uffern wyt ti wedi gwneud? Sbia ar Beti fech, druan!'

Roedd Beti allan o'i sedd (golygfa brin iawn) ac roedd yn gweiddi bygythiadau mewn acen Corris uchaf ac yn pwyntio at un o'r speakers. Dyma droi nôl yn reit handi i weithdy Steve.

'Steve, gloi, tro fe nôl mlaen!'

Roedd hwnnw eisoes â'i fys ar y botwm pan gyrhaeddodd Eiriona.

'Jest tshecio i weld bod y radio'n gweithio'n iawn, Eiriona. Popeth yn iawn nawr gobeithio?'

Yn ara deg, fe wnaeth y peiriannau ailgychwyn. Doedd gen i ddim syniad bod allbwn y ffatri a chynhyrchedd y gweithwyr yn llwyr ddibynnol ar 'Our Tune'. Chi'n gorfod cael tanwydd er mwyn cael car i weithio ac roedd yn rhaid cael 'Our Tune' yn chwarae bob bore er mwyn cael Merched Mach i weithio. Mae'n siŵr y byddai newyddion am dorri cyflogau yn cael gwell derbyniad na dweud bod y radio yn cael ei ddiffodd.

Yn ogystal â bod yn gynrychiolydd undeb ac yn arolygydd, Eiriona oedd modryb y ffatri. Menyw garedig ac addfwyn oedd yn adnabod pawb ac oedd yn carco pawb. Roedd Eiriona yn gallu fy nghynghori petai gan un o'r menywod unrhyw broblemau. Roedd ganddi ofal bugeiliol ardderchog. Roedd cwmnïau'n buddsoddi miloedd i lunio rhaglen hyfforddi rheolwyr Adnoddau Dynol a chreu polisïau gofal staff. Yn ffatri Machynlleth roedd yr holl wybodaeth oedd ei angen am hynny gan Eiriona. Hi oedd oedd merch y ffatri ddillad.

Roedd Eiriona'n fenyw denau fel rhaca. Ni fyddai byth yn llonydd a smociai'n drwm. Roedd smocio wedi'i wahardd ymhlith y staff ond roedd yna le bach y tu fas lle roedd y smygwyr yn medru cael ffag yn ystod egwyl a chinio. Byddai'n siarad fel pwll y môr ac yn adnabod pawb, yn enwedig menywod Corris.

Roedd Eiriona'n gweithio ar y ddoli smwddio oedd ar ben draw'r llinellau gwnïo. Byddai hi a dwy fenyw arall yn smwddio dillad dwy'r dydd, bob dydd. Roedd angen cryfder a stamina ar gyfer y swydd yma oedd yn cael ei hystyried fel un o'r caletaf yn y ffatri am fod y ddoli yn chwythu stêm mewn i'r ffrogiau cyn eu bod yn cael eu smwddio. Byddai'r gwres yn annioddefol yn yr haf. Roedd y tair oedd yn gweithio ar y dolis smwddio yn fenywod tenau ond yn gryf o gorff.

Fe wnes i drafod y 'Saethwyr Cymreig' o'r bymthegfed ganrif un amser egwyl gydag Eiriona, a'r ffaith fod rheiny hefyd wedi datblygu cyhyrau cryf ar y fraich a'r ysgwydd dde. Roedd Eiriona yn hoff o'r gymhariaeth ac yn cytuno bod ei braich dde hi hefyd yn gryfach o achos y gwaith llafurus ar y ddoli smwddio. Nid oedd mor hoff o'r chwedl fod y saethwyr Cymreig wedi ymladd gyda Siôr V ym mrwydr Agincourt.

Mewn pedair blynedd ym Machynlleth ges i fyth air croes gyda Eiriona heblaw'r diwrnod cyn ymweliad Syr Bernard Ashley, sef y bòs mawr gychwynnodd y cwmni gyda'i wraig. Roedd Syr Bernard yn enwog ymysg y gweithwyr am ei dymer a'r ffaith ei fod yn casáu smocio. Byddai'n hoff o ddal smygwyr yn ystod egwyl mwgyn a'u diswyddo yn y fan a'r lle. Ar ôl iddo adael, byddai un o'i gynorthwywyr yn sicrhau'r gweithiwr anffodus bod ei swydd yn ddiogel, ond am ddiffodd y sigarét.

Byddai gofyn i fi rybuddio Eiriona a dwsin o weithwyr arall am beidio cael ffag yn ystod ymweliad y bòs. Doedd Eiriona ddim yn hapus ac esboniodd bod hawl ganddi i gael sigarét mas y bac yn ystod egwyl ac y byddai hi'n dweud wrth Syr Bernard i stwffio'i job cyn ei fod yn cael y cyfle i'w sacio.

Daeth y diwrnod tyngedfennol, a glaniodd Syr Bernard yn ei hofrennydd ar y safle glanio wrth ymyl y stad. Boi digon ecsentrig oedd e, yn hoff o wisgo fel dyn tlawd. Roeddwn wedi cael ordors i beidio gwneud unrhyw baratoadau arbennig ac mai deg munud yn unig fyddai Syr Bernard yn yr adeilad.

'Croeso i Fachynlleth!' medde fi, wrth i'r bòs a'i griw o gynorthwywyr gerdded mewn.

'Ah yes, Welsh,' medde fe. 'We have a Welsh flag outside. Very good.'

Roedd yr holl beth yn swreal, fel 'tai'r Tywysog Siarl yn ymweld â ni. Ond roedd y gŵr hwn mewn hen siwmper a phâr o jîns. Roedd yn edrych fel petai'n mynd mas i wneud awr fach yn yr ardd.

'So this is bridal. Very good. Any smokers here? We don't want the bride smelling of cigarettes now, do we?'

Wyddwn i ddim beth i'w ddweud fel ateb. Roedd yna ddeng munud arall tan egwyl mwgyn, a byddai'n siwr o ddal y smygwyr. Ar y llaw arall, doeddwn i ddim am ddweud celwydd wrtho. Cyn i fi gael amser i ateb, aeth y bòs ymlaen.

'What's for breakfast? I'm starving!'

'Oh, it's usually toast and baked beans,' medde fi.

'Excellent! Where's the kitchen?'

'Follow me,' medde fi.

Wrth i ni gerdded drwy'r ffatri at y gegin roedd yn syndod cyn lleied o sylw oedd y menywod yn ei roi i'r boi oedd yn eu cyflogi. Torrodd Beti wên fach ar ei gyfer a chynigiodd Steve 'Helo'. Ond ar wahân i hynny, anwybyddodd y menywod y miliwnydd mewn jîns. Credwn mai tacteg bwrpasol oedd gwisgo fel garddwr. Daliais lygaid Eiriona, oedd wrthi'n palu drwy sgip o ffrogiau yng nghanol cwmwl o stêm. Deng munud fach i fynd, a byddai Syr Bernard yn ei baglu hi bant heb unrhyw wrthdaro. Aethom i mewn i'r gegin a gofynnodd Syr Bernard wrth Rhian, un o staff y gegin, ble oedd y ffa pob. Aeth draw at y ddwy sosban fawr oedd ar y ffwrn a dechrau troi'r bîns.

'Did you know I'm an excellent chef?' meddai'r dyn mawr. Chwerthinodd y tri chynorthwywydd ufudd. Roedd yn gwmws fel sîn allan o raglen ddogfen ar Ogledd Corea. Yn anffodus roedd wrth ei fodd yn troi'r bîns a sefodd am sbel gan esgus coginio tra bod y tri gŵr doeth yn chwerthin yn frwdfrydig ar bob jôc.

Roeddwn i'n rheolwr hefyd ond erbyn hyn yn teimlo'n fwy fel un o'r gweithwyr. Roeddwn yn siarad yr un iaith â nhw ac yn edmygu eu gwaith caled llafurus er mwyn rhoi bwyd ar y ford a chynnal teuluoedd. Teimlad od oedd bod yn rheolwr dros weithwyr Cymreig, fel sgowt o'r Apache yn rhan o fyddin General Custer.

Canodd y gloch egwyl, ac er mawr ryddhad i fi daeth Eiriona a'r smygwyr eraill mewn i'r ffreutur i gael paned yn lle mynd allan i gael mwgyn. Anelodd winc fach ata'i wrth iddi eistedd ar y fainc. Nodweddiadol o Eiriona; roedd wedi gweld fy mod i'n gofidio am ymweliad y bòs mawr ac wedi arwain y smygwyr allan o'r sefyllfa anodd. Bwytaodd Syr Bernard ei ffa pob. Chwerthinon ni i gyd yn uwch ar ei jôcs. Neidiodd nôl mewn i'w hofrennydd a bant â fe i ymweld â ffatri arall.

Yn anffodus roedd yr hofrennydd yn rhy agos at domen o bapur pecynnu gwastraff o ffatri arall gyfagos. Fe achosodd corwynt y llafnau i lwyth o bapur chwalu a gwasgaru dros y stad. Treuliodd Steve a finnau weddill y bore yn casglu sbwriel. A do, fe ga'dd Eiriona'i mwgyn ar ôl i Syr Bernard fynd.

Mae'r ffatri wedi hen fynd, a holl waith gweithgynhyrchu'r cwmni wedi symud dramor i wledydd lle mae cyflogau gweithwyr ffatri yn is. Fel arfer, cost tymor byr sydd drechaf yn hafaliad y cyfrifydd. Mae'r holl sgiliau a adeiladwyd dros ddegawdau yn ffatrïoedd Carno a'r Drenewydd wedi mynd. Ond fe fydd yr helyntion yn y ffatri a mwynder Menywod Mach yn aros yn y cof.

II

Geiriau pobl eraill

Pethe anodd yw geiriau, eu plygu mewn i gân,
 Cesio cael odl, sydd heb odli o'r bla'n.
I fi'n gweud 'mod i'n ddiflas tra bo ni arwahân,
 Y stwff 'na am hiraeth, a'r galon ar dân.

Cytgan:
Dyw Suzi ddim yn galw a dyw'r awen ddim yn dod,
Dyw'r chwarae ddim yn chwerw a ma' Lisa Lân yn bored.
Mi sydd fachgen ieuanc a 'dw'i wedi bod yn ffôl,
 Achos geiriau pobl arall pob tro sy'n llifo nôl.

Caneuon cariadus, anodd iawn credwch fi,
 O Lisa Lân ac yn y bla'n a Rwy'n dy garu di.
Anniben a lletchwith yw'r hen fusnes serch,
 Ond am beth 'ma fe werth, ma hon i ti ferch.

Blodau'r haul ar dy fochau a'r wên sy'n berwi gwaed,
 Ti'n brydferth tra'n chwerthin a del yw dy draed.
Ond cyn bo ti'n chwerthin am yr odli mor wan
 Fi'n dwlu arnat a 'na ddiwedd y gân.

Tregaroc Baldande

Ers y dyddiau cynnar nôl yn nhafarndai Treforys 'wy wastad wedi chwarae mewn bandiau *covers* neu 'dance bands' fel oedden nhw'n cael eu galw bryd hynny. Mae yna fanteision ac anfanteision i chwarae mewn band *covers*. Yr anfantais yw na chewch chi'r wefr o gael cynulleidfa yn mwynhau'r caneuon ry'ch chi wedi eu cyfansoddi, nac ychwaith y pleser o glywed eich cân wreiddiol ar y radio (os allwch chi ddioddef gwrando ar eich llais eich hunan). Y manteision yw'r ffaith eich bod yn chwarae'r union beth mae'r gynulleidfa am ei glywed. Mae pob cân isiws yn adnabyddus. Os yw band wedi eu bwcio ar gyfer priodas, yna caneuon poblogaidd pobl eraill yw'r disgwyliad.

Fe fydd band *covers* da wedi rhoi set at ei gilydd o dros dri deg o ganeuon poblogaidd y gellir eu teilwra ar gyfer gwahanol achlysuron. Fe fydd pŵer y cyfarwydd ar ochr y band, ac unwaith gewch chi'r gynulleidfa allan i ddawnsio, y gamp wedyn fydd dewis caneuon sy'n mynd i'w cadw nhw yno. I wneud y peth yn dda mae'n rhaid prynu mewn i'r ffaith mai chwarae caneuon pobl eraill yw'r ddêl. Ond mae'n dal yn bosib chwarae caneuon pobl eraill yn dda. Mae band *covers* da yn hwyl. Mae band *covers* gwael yn wastraff amser. Fel wedodd Bryn Fôn ar ddiwedd ein set mewn gig diweddar yng nghlwb rygbi Cydweli,

'Yffarn o set, hogia. Chi newydd chwarae "greatest hits" pawb arall!'

A dyna fe, yn gwmws. Tua chwe blynedd yn ôl ges i alwad ffôn oddi wrth foi o'r enw Aled Vaughan, oedd yn enw anghyfarwydd i fi. Esboniodd Aled ei fod yn arwain band o'r enw Baldande oedd yn chwarae caneuon covers Cymraeg a Saesneg mewn priodasau a phartïon. Roedd priodas gyda nhw yn ardal Llandysul ac roedd y chwaraewr bas wedi tynnu allan o'r gig y munud olaf. Gofynnodd os allwn i gamu mewn. Wedes i 'iawn' wrth Aled ac rwyf wedi bod yn chwarae gyda nhw ers hynny. Aelodau Baldande yw Aled Vaughan (gitâr a llais), Meredudd Jones (drwms), Eifion Thomas (acordion) a Trystan Jones (bas).

Mae'r band yma'n broffesiynol ei agwedd tuag at berfformio ac mae 'salad, dŵr a roc a rôl' yn fwy addas na 'sex and drugs and rock and roll' i ddisgrifio ymddygiad y band. Wedi dweud hynny roedd yna un parti priodas yn Birmingham oedd yn eithriad ac yn gig cofiadwy i Baldande.

Esboniodd Aled yn y fan ar y ffordd yno fod y pâr oedd yn priodi wedi gweld Baldande yn chwarae mewn priodas yn Abertawe, ac yn dilyn hynny roedden nhw am i ni chwarae yn eu priodas nhw. Roedd Aled wedi esbonio fod dros hanner y set yn ganeuon Cymraeg ond doedd dim ots gyda nhw am hynny.

Y trefniant oedd ein bod ni'n cyrraedd yn gynnar er mwyn chwarae set acwstig ar y lawnt cyn y wledd. Ar ôl y bwyd roedden ni fod chwarae am hanner awr ar ddechrau'r parti nos, wedyn byddai'r bwyd nos, wedyn disgo ac wedyn ni eto i gloi'r noson. Roedd yna fwthyn i ni sefyll dros nos ar ôl y gig, oedd wrth ymyl pabell enfawr, sef lleoliad y parti nos.

Dechreuodd y prynhawn yn iawn: Trystan, Eifion a finne'n chwarae drwy set fach o ganeuon ar y lawnt gyda'r gitârs acwstig. Roedd yn ddiwrnod hyfryd a phawb yn dweud eu bod yn mwynhau'r gerddoriaeth wrth iddyn nhw gerdded rownd y gerddi gyda'u gwydrau o Prosecco. Roedd Aled yn ei elfen yn cymysgu gyda'r gwaddedigion a thrial cael mwy o gigs i'r band. Roedd yn un o'r priodasau hynny lle roedd jest gormod o bethau i wneud. Un brif babell a nifer o bebyll llai wedi eu codi o amgylch y gerddi, pob un gyda bar unigol. Roedd yna gastell bownsio i'r plant, fan hufen iâ a hyd yn oed stondin losin hen-ffasiwn. Roedd yr holl beth bownd o fod wedi costio ffortiwn.

Aeth popeth yn iawn gyda'r set prynhawn ond erbyn y nos roedd yn fater arall. Rhedodd popeth mlaen yn hwyr a dechreuom ni'r set gyntaf o leia awr a hanner yn hwyrach na'r disgwyl. Roedd y mwyafrif o'r gwaddedigion yn dal yn bwyta pwdin wrth i ni belto mas 'Mam wnaeth got' i ddau gant o Brymis.

Fe fydd pob band *covers* yn dweud bod yna ddim pwynt cychwyn 'ware mewn parti priodas nes bod y pwdin wedi gorffen. Galle Bruce Springsteen ddim cystadlu gyda Pavlova a does dim pwynt trial. Fe fydd pawb yn eistedd yno'n bwyta pwdin ac yn anwybyddu'r band. Dyma yn union beth ddigwyddodd yn Birmingham. Belton ni drwy gymysgedd eclectig o Dafydd Iwan, Lynyrd Skynyrd a Status Quo (rhywbeth at ddant pawb) tra eisteddai'r gynulleidfa wrth eu byrddau yn stwffo *cheesecake*.

Wedodd Aled, 'We are Baldande from West Wales and we'll be back in fifteen minutes for some more rock, country, pop and folk.'

Edrychodd rhai lan o'u bwyd a chlapio'n gwrtais. Wrth i ni ddechrau dadansoddi'r set gyntaf a trial gweithio mas pa ganeuon i wneud yn yr ail hanner er mwyn ceisio achub y gig, daeth y gwas priodas lan i'r llwyfan a dweud,

'Sorry lads, could I have a word? Would you mind finishing now? You've been great but we have the first dance to do and also we've booked an expensive DJ for the disco. Do you mind?'

'Not at all,' medde Aled gydag ychydig o ryddhad, a dyna fe. Naw o'r gloch a phopeth drosodd. Roedd y gig wedi cwpla ac roedden ni'n styc mewn parti priodas yn Birmingham gyda bwthyn moethus fel llety. Dim ond un peth oedd i'w wneud. Dechrau yfed.

Ar ôl sawl peint aeth Eifion a Mered ati i wneud rhyw ddawnsio gwirion ar y llawr dawnsio. I ddweud y gwir roedd dawnsio'r bois yn denu mwy o sylw na wnaeth chwarae'r band. Aeth Aled bant i rwydweithio a cheisio cael mwy o gigs i ni a sefodd Trystan a fi wrth ford fach gron ac yfed fel ffyliaid. Yfon ni beint ar ôl peint. Roedden ni'n feddw dwll, yn llawn fel wy, lan at y styden, yn gocyls. Aeth pethe braidd yn anniben o fynna mlaen. Cyhuddes i'r barman o fod yn 'gold digger' am ei fod yn cefnogi Man U ac yn dod o Wolverhampton.

'You should support Wolves, mwsh. The Old Gold is a great club. I'm Swans, I am, see.'

Dechreues i ganu siant Abertawe sy'n targedu cefnogwyr timau mawr. Yr unig eiriau yw 'We support our local team'. Canes i'r gân drosodd a throsodd a gwrthododd y barman roi mwy o gwrw i fi. Yn y cyfamser roedd Trystan wedi mynd allan i'r gegin a dod yn ôl gyda dau hambwrdd enfawr o *chicken bake* oedd dros ben, medde fe.

'Co beth fi wedi ffindo bois. Sneb moyn y chicken bake. Snac fach cyn gwely.'

Yna aeth nôl i'r gegin a dod mas â stand gacennau llawn sgons.

'Co beth fi wedi ffindo bois. Sneb moyn y sgons yma. Pwdin.'

Ceisiodd Trystan wneud arbrawf disgyrchiant drwy chwifio'r stand gacennau rownd a rownd fel melin wynt a chael y sgons i aros ar y plât. Wrth gwrs, hedfanodd y sgons i bob man a hedfanodd y plât a thorri'n yfflon. Erbyn hyn roedd

Mered ac Eifion wedi clirio'r llawr dawnsio ac yn rhedeg rownd mewn cylchoedd yn esgus bod yn jocis mewn ras geffylau. Roedd rhai o'r gwesteion yn clapio ac yn annog y ceffylau ymlaen, efallai o dan yr argraff fod hwn yn rhan o'r adloniant. Roedd eraill yn dawnsio ar bwys y bar yn saff allan o ffordd y jocis.

Aled yw trefnydd gigs Baldande ac mae'n fachan sydd yn ofalus iawn o gadw enw da i'r band. Roedd golwg ofidus ar ei wyneb wrth iddo sylweddoli fod y sefyllfa'n dirywio.

'Credu bo ni wedi cael digon nawr, bois. Ma pobl yn dechrau sylwi arnon ni. I ddweud y gwir, fi'n credu bod rhai wedi gadael yn gynnar o'n hachos ni'.

Mae gweddill y noson yn angof. Fi'n credu mai dim ond y band oedd ar ôl yn y babell erbyn hanner nos. Pawb arall wedi mynd adre'n gynnar wedi blino neu wedi cael ofn. Ware teg i Aled, gorfod iddo ddefnyddio sgiliau diplomyddol wrth drafod gyda'r teulu yn y bore yn ogystal â thacluso'r bwthyn a whilmentan drwy'r bagiau sbwriel i geisio darganfod darnau o'r stand gacennau. Dysgais wers bwysig y noson honno. Os yw'r gig yn gorffen yn gynnar, cer adre.

Un o'r gigs y byddwn ni'n neud bob blwyddyn yw'r ŵyl gwrw yng Nghaerfyrddin. Ar gyfer y gig yma ni'n mynd o dan yr enw 'Blue Street Band' ac unwaith eto *covers* Saesneg y'n ni'n chwarae am mai hynny yw dymuniad y trefnwyr. Mae'r aelodau'n union yr un peth â'r band Cymraeg heblaw bod yna gitarydd a chanwr o'r enw Gareth Roberts yn ymuno.

Mae Gŵyl Gwrw Caerfyrddin yn grêt. Croeso cynnes (a chwrw cynnes), cynulleidfa hapus (a meddw), byth ymladd a digon o gwrw am ddim i'r band. Mae'r ŵyl wedi ei sefydlu ers blynyddoedd bellach, yn bell cyn i gwrw crefft ddod yn ffasiynol. Mae'r ŵyl wedi ei threfnu'n dda heb bresenoldeb diflas y dynion diogelwch, neu'r bownsers, i gadw trefn. Mae absenoldeb y dynion diogelwch yn creu gwell awyrgylch. Ond un flwyddyn byddai presenoldeb cwpl o bownsers wedi bod yn handi iawn. Fel droeodd pethe mas, math arall o fownsers achosodd y broblem.

Dechreuon ni'r set gyntaf am naw a gwneud 40 munud o hits pobl eraill. Bach o bopeth, dewis eclectig ac amrediad eang o gerddoriaeth o 'Jolene' gan Dolly Parton i 'Superstition' gan Stevie Wonder. Rhywbeth at ddant pawb p'un ai mewn priodas neu ŵyl gwrw; yr unig ffactor allweddol ar gyfer llwyddiant band *covers* yw alcohol ac mae yna ddigon o hwnna yn sloshan o gwmpas yn yr ŵyl.

Aeth y set gyntaf yn iawn gyda phawb yn ymuno yn y canu ond neb yn dawnsio. Mae'n bwysig i beidio panico pan fo hyn yn digwydd. Fel arfer erbyn yr ail hanner bydd y pwmp cwrw wedi cydio a'r dawnsio yn dechrau. Mae'n bwysig hefyd cadw rhai o'r 'big hitters' nôl fel 'Sweet Home Alabama' (neu Sweet Home Abergwili), 'Mustang Sally' (neu Mustang Mari) a 'Born to be Wild' (neu Born to Drink Mild). Fel ma' Iwan Evans fy ffrind ar y sacs yn dweud, 'ma sens mewn cachu'n dene, bois'. Fel arfer, unwaith fydd un person dewr lan yn dawnsio fe fydd y llifddorau yn agor (gobeithio) ac fe fydd mwy yn ymuno. Mae'r effaith o gael pobl yn dawnsio fel chwistrelliad o endorffin i fand ac mae bob amser yn cael effaith bositif ar y chwarae. Hefyd mae'r bobl sy'n dal yn eistedd am nad ydyn nhw'n lico miwsig yn dechrau meddwl bod y band bownd o fod yn dda am fod y bobl sydd yn lico miwsig yn dawnsio. Pawb yn ennill felly.

Ar ôl yr hanner cyntaf mae yna ddwy ddefod angenrheidiol a blynyddol yn yr ŵyl. Yn gyntaf y Tynnu Raffl. Mae'n ddisgwyliedig fod pob noson allan yng Nghymru (heblaw priodas) yn gorfod cynnwys raffl. Mae'r raffl yn yr ŵyl gwrw yn un byr, diolch fyth: trydedd wobr – cwrw, ail wobr – llond bwced o gwrw, gwobr gyntaf – llond whilber o gwrw.

Yr ail ddefod yw gwobrwyo'r person sydd wedi yfed hanner peint allan o bob casgen o gwrw gwahanol sydd ar gael yn yr ŵyl. Golyga hyn ugain peint dros ddiwrnod cyfan o yfed. Mae'r rhai sy'n cyflawni hyn yn athletwyr yfed profiadol sy'n gorfod dechrau arni am unarddeg y bore pan fydd y drysau'n agor er mwyn cyflawni'r marathon alcoholig. Mae'n seremoni ryfedd sydd yn mynd yn groes i unrhyw gyngor meddygol ar or-yfed.

Mae enw'r enillydd yn cael ei gyhoeddi ac yna bydd rhyw pwr dab sy'n methu cerdded na siarad yn cael ei gario i'r llwyfan gan ddau ffrind. Mae pawb yn clapio a dangos edmygedd at y pencampwr yfed wrth iddo dderbyn ei wobr, sef mwy o docynnau cwrw i wario wrth y bar. Hyfryd.

Dechreuon ni'r ail set mewn hwyliau da a mynd yn syth mewn i 'Rolling Down the River' gan Creedence Clearwater Revival. Mae hon yn beltar o gân ac erbyn yr ail gytgan roedd yna rai lan yn dawnsio. Mae'n bwysig peidio cael saib rhwng caneuon fel bod y dawnswyr ddim yn cael cyfle i ddiflannu. Felly, yn syth mewn i 'Burning Love' gan Elvis achos bod pawb yng Nghaerfyrddin yn lico bach o Elvis.

Roedd pethe'n mynd yn grêt gyda'r llawr dawnsio'n llenwi mwy a mwy gyda phob cân. Ond am ryw reswm clywais Iestyn yn gweiddi o ochr arall y llwyfan. Roedd mewn ychydig o banic ac yn defnyddio'r gitâr fas i bwyntio tuag at ochr y llwyfan. Yno yn dawnsio ffwl pelt roedd menyw ddiarth oedd wedi ffeindio'i ffordd yno. Roedd yn canu ac yn dawnsio y tu ôl i'r llenni ar yr ymylon. Rhyfedd iawn fod hon wedi ffeindio'i ffordd yno ond roedd yn ymddangos yn ddigon hapus yn dawnsio i'r gerddoriaeth. Ond yn anffodus, doedd dawnsio wrth ochr y llwyfan ddim yn ddigon i hon, ac erbyn ail bennill 'Rocking All Over the World' gan Status Quo roedd hi wedi camu allan i'r canol i ddawnsio.

Denodd hyn grŵp o ddynion i sefyll ar flaen y llwyfan. Roedden nhw wrth eu boddau gyda'r dawnsiwr newydd oedd wedi ymuno yn y sioe yn ddi-wahoddiad. Roedd y dynion yn clapio ac yn annog y dawnsiwr brwd i fynd ymhellach. Roedd yn amlwg fod gan y fenyw bersonoliaeth fawr. I ddweud y gwir roedd hi'n fawr ymhob ffordd, a reit 'i wala dechreuodd dynnu ei dillad yn slow fach. Nid yw 'Rockin All Over the World' gan Status Quo fel arfer yn gerddoriaeth cyfeiliant i striptease ond dyma yn union oedd yn digwydd ar lwyfan yr ŵyl gwrw.

Ymddangosodd un o'r trefnwyr o'r ochr a cheisio dwyn perswâd ar y fenyw i adael y llwyfan. Ond daeth yna lu o brotestiadau uchel o'r dorf ac roedd rhai erbyn hyn wedi dechrau ffilmio'r sioe ar gamerâu ffonau symudol. Nid oedd pethau'n edrych yn addawol o gwbl o bersbectif y band ac fe gerddais i ochr y llwyfan yn dawel bach ac fe gamodd Iestyn ac Iwan o'r llwyfan yr ochr arall. Fe wnaethon ni barhau i chwarae y tu ôl i'r llenni ar yr ymylon yn saff o'r ffonau symudol. Dim ond Andy y drymiwr druan oedd ar ôl ar y llwyfan ac fe gariodd ymlaen i ddrymio gyda golwg ar ei wyneb oedd yn gymysgwch o ofn a dryswch.

Roedd y ddynes druan yn gwisgo lot o ddillad a chymerodd hi sbel fach i gyrraedd y bra. Dechreuodd edrych o gwmpas wedyn yn amlwg yn chwilio am ryw ffordd ysblennydd i ddod â'r sioe i ben. Troiodd at Andy a cherdded tuag at y drymiwr unig a rhoi un droed ar y drwm mawr yng nghanol y drum kit. Roedd yn ymddangos fel ei bod hi'n mynd i drial lawnsio'i hunan o'r drwm fel oedd Freddie Mercury yn arfer ei wneud ar ddiwedd perfformiad Queen. Llwyddodd i lusgo'i hunan i sefyll ar y drwm. Ond wrth iddi geisio troi rownd i wynebu'r dorf ar gyfer y 'finale', fe gwympodd nôl mewn i Andy oedd yn dal i ddrymio i 'Rockin All Over the World'.

Cododd Andy ei freichiau i amddiffyn ei hunan rhag y ddynes fawr oedd yn hedfan tuag ato. Ond yn anffodus roedd yn dal i gydio yn y drymiau ac fe hitiodd un drwm ef yn ei ddannedd blaen a chipio darn bach o enamel oddi ar un dant. Aeth y drwms wrth gwrs yn yfflon, symbalau yn crasho i'r llawr a'r snare drum yn rholio i flaen y llwyfan. Stopion ni chwarae pryd ddigwyddodd hynny. Diweddglo bythgofiadwy a bonws i bawb oedd yn bresennol. Cerddes i nôl i'r llwyfan a chyhoeddi, 'Amser da i gael brêc fach, fi'n meddwl. Byddwn ni nôl mewn pum munud. Diolch'.

Er mawr glod i Andy fe ail-osododd y drwms, dweud 'No problem, these things do happen' wrth y ddynes oedd yn ymddiheuro ac yn casglu ei dillad oedd ar chwâl o amgylch y llwyfan. Aethon ni'n syth mewn i 'I Shot the Sheriff'.

Ware teg i Andy. Arwr y drwms. 'And the band played on!'

12.

Gitâr newydd

Pan o'n i'n grwt, bron yn bymtheg mlwydd oed
Fe ges i gitâr oedd yn teimlo'n ddrud,
Ei liw oedd yn goch, swnio fel cloch,
Fe ges i gitâr oedd yn werth y byd.

'Ware drwy'r dydd a 'ware drwy'r nos,
'Ware drwy'r nos a 'ware drwy'r dydd,
Fe ges i gitâr oedd yn werth y byd.

Django Reindhart, Gypsy jazz,
Sŵn y sipsi, raz-ma-taz,
Siarad French, gweud 'un deux trois'
'Musique Manouche, je ne se qua'.

Pwdin Reis

Mae pawb yn mynd drwy newidiadau wrth gyrraedd eu pedwardegau. Mae'r newidiadau corfforol yn un set o broblemau i ddelio â nhw. Mae'r ffaith bod y bola'n mynd i fod yn bresenoldeb parhaol ynghyd â diflaniad y gwallt yn bethau mae'n bosib delio â nhw. Ond mae newidiadau seicolegol yn anweladwy ac yn dipyn anoddach.

Collais bob owns o hyder yn fy nghaneuon a chollais bob owns o ffydd i fynd allan a'u canu nhw'n fyw. Roeddwn i wedi dechrau becso am gigs o leiaf wythnos o flaen llaw ac roedd yn amhosib i neb fyw gyda fi cyn gig. Mae'n deimlad ofnadwy ac anodd ei ddisgrifio. Byddai'r llais tu fewn yn dweud 'Os galli di jest gael drwy'r gig yma, fe fydd bywyd yn iawn eto'. Ar ôl y gig byddai'n fater o eistedd o flaen y teledu yn wotsho'r 'shopping channel' weithiau tan bedwar o'r gloch y bore yn yfed brandi ac yn aros i'r adrenalin adael y corff cyn bod cwsg yn bosib.

Roedd yr hwyl a'r cyffro o chware'n fyw wedi troi yn ofid cyn gig a rhyddhad ar ôl gig. Roedd yn amhosib cario ymlaen a dechreuais droi lawr unrhyw gig oedd yn debygol o fod yn anodd. Ar ôl i chi droi lawr dau neu dri, mae pobl yn stopio gofyn ac roeddwn i'n barod am ddyfodol o arddio a gwaith coed yn y garej.

Syrpreis felly oedd derbyn galwad ffôn oddi wrth Norman Roberts oedd ar y pryd yn bennaeth y gwasanaeth cerdd yn Sir Gâr. Gofynnodd i fi ymuno gyda band newydd 'Gypsy Jazz' oedd yn dechrau. Doeddwn i ddim erioed wedi clywed am y fath gerddoriaeth ond fe wnaeth Norman esbonio mai dyma gerddoriaeth draddodiadol y Sipsiwn, ac yn arbennig Sipsi o'r enw Django Reinhardt, a ddechreuodd addasu caneuon poblogaidd Americanaidd i arddull y Sipsiwn. Rhoi twist y Sipsi i'r tiwns jazz. Digwyddodd hyn mewn lle o'r enw yr Hot Club ym Mharis ar ôl yr Ail Ryfel Byd. Dywedodd Norman wrtha'i am fynd bant a gwrando ar Django a'r brodyr Rosenberg, sef teulu o Sipsiwn o Eindhoven sydd wedi cymryd y genre i'r lefel nesaf.

Roedd gwrando ar y Rosenbergs yn chwarae gitârs am y tro cyntaf yn wefreiddiol. Roedd lefel y sgìl, y teimlad a'r emosiwn yn rhywbeth diarth a newydd. Yn ogystal â'r pŵer amrwd a'r feistrolaeth o dechneg anodd sydd yn y chwarae, maent yn chwarae gitârs acwstig heb amplifiers nac effeithiau electronig y bwrdd pedals melltigedig. Does dim angen 'talent boosters' ar y Sipsiwn. Os ydych chi'n byw dan ryw gamargraff mai Eric Clapton neu Jimmy Page yw'r chwaraewyr gitâr gorau sydd wedi cerdded y blaned, plîs da chi chwiliwch am fideo Youtube o Stochelo Rosenberg yn chwarae. Brenin y Gypsy Jazz.

Maddeuwch i fi am fynd yn dechnegol ond fe fydd pob gitarydd yn gyfarwydd gyda sgêls pentatonic a dorian ar y gitâr am taw rhain sydd yn cael eu defnyddio yn nawdeg y cant o ganeuon roc, blues a gwerin. Mae'r Sipsiwn fodd bynnag yn defnyddio 'minor harmonic scales' sy'n ychwanegu lliw a sbeis i'r sŵn. Mae trefn ryfedd y nodau yn y sgêl yma bron â bod yn swnio'n Arabaidd.

O ran cordiau mae'r Sipsiwn yn anwybyddu'r 'major', 'minor' a 'dominant 7' ac yn canolbwyntio ar 'major 6th' a 'minor 6th', cordiau 'diminished' a 'tritones'. Nôl yn y canoloesoedd cafodd defnydd y 'tritone' ei alw'n 'diablos in musica' a chafodd ei wahardd o gerddoriaeth yr eglwysi Piwritanaidd am ei fod yn swnio mor od ac anodd ar y glust. Hwn oedd 'cyfwng y diafol' ac roedd i'w osgoi. Nid yw sŵn y nodau anghytsain yma at ddant pawb, ond i fi mae'n swnio'n hyfryd. Mae'n amlwg nad oedd y Sipsiwn yn becso lot am farn pobl fawr yr eglwysi. Dyma ble mae'r lliw, dyma ble mae'r sbeis a'r gwres. Fel cael Jalfrezi am y tro cyntaf ar ôl blynyddoedd o Kurma.

Wedes i 'iawn' a 'diolch am y gwahoddiad' wrth Norman. Es i wrthi i brynu DVDs ar sut i ware rhythm Gypsy Jazz. Roedd e fel dysgu iaith newydd ac anodd ond roedd yn golygu fy mod yn ymarfer y gitâr eto. 'Chwarae pob dydd, chwarae pob nos, bysedd yn llosgi ag yn rhoi lo's', fel mae'r gân yn mynd. Ail wynt go iawn.

Roedd lefel ymroddiad Norman a Steve Metcalf (y prif gitarydd) i steil cerddoriaeth jazz y Sipsi yn agoriad llygaid. Bu Norman yn astudio cerddoriaeth Django Reinhardt yn Efrog Newydd a Steve yn mynychu penwythnosau Manouche, sef gwyliau bach penwythnos i chwaraewyr jazz y Sipsi gwrdd a chwarae. Rhyw fath o jam sesiwn mawr i bobl sydd wir yn gallu chwarae. Dim 'Bing bong bei' rownd y tân fan hyn. Aelodau gwreiddiol Sipsi Gallois oedd Norman Roberts (ffidil), Steve Metcalf (gitâr) a Joni Williams (bas). Mae Gareth Gravel wedi ymuno ar y bas ers sawl blwyddyn bellach.

O ran gigs cofiadwy nid yw'n fater o 'sex and drugs and rock and roll' na hyd yn oed 'cwrw, tships a roc a rôl' mwyach. Ni'n eithriadol o barchus ac yn chwarae gigs yn gwisgo siwts lle mae'r gynulleidfa yn fodlon gwrando ar ychydig o jazz sydd ddim yn mynd i fyddaru pawb. Mae'n gweithio'n grêt fel cerddoriaeth ar ddechrau gwledd briodas neu barti bach pen-blwydd. Un parti bach parchus o'r fath oedd parti pen-blwydd yn 2015.

Roedd Norman wedi cael galwad ffôn oddi wrth ŵr o Sbaen oedd yn wreiddiol o Ddyffryn Aman. Mae'n debyg ei fod yn wyliwr ffyddlon o raglen Noson Lawen drwy wyrth y we ac roedd wedi mwynhau perffformiad Sipsi Gallois ar y rhaglen. Y brîff oedd ein bod ni'n chwarae ar ôl y cinio dathlu am awr yn unig yn y prynhawn. Dim ond deugain o bobl, sef teulu a ffrindiau agos, fyddai'n bresennol a'r lleoliad oedd plasty yn agos i Amwythig. Popeth yn swnio'n iawn heblaw un peth – roedd yn rhaid i ni ganu 'Y Viva España' ar ddiwedd y set.

Cymerodd e sbel i ni ddod o hyd i'r gwesty. Roedd mewn lle anghysbell a gwledig ddim yn bell o'r ffin gyda Phowys. Cawsom groeso cynnes iawn gan y ddynes oedd yn rhedeg y lle (fe wnawn ni ei galw hi'n Mrs X). Roedd yn fenyw ganol oed a golygus, yn un o'r bobl hynny sy'n hoff o gofleidio pawb. Cawsom i gyd gwtsh mawr ganddi, yn enwedig Gareth. Esboniodd mai hi oedd wedi etifeddu'r plasty a'i bod yn cynnal partïon yno er mwyn helpu talu am gynnal a chadw'r lle. Aeth ymlaen i esbonio mai mewn marchogaeth ceffylau roedd ei gwir ddiddordeb. Mrs X oedd y person mwyaf posh i fi erioed ei chyfarfod. Meddai hi,

'Gentlemen, welcome to my humble abode. The forty-two guests will be dining at one o'clock sharp in the main hall. You will set up in the reception room which has adjoining oak doors to the dining room. At approximately four o'clock the dining will be over. I will open the adjoining oak doors and you can start playing your wonderful jazz for one hour.'

Roedd hi'n eithriadol o posh ac 'uwchabove' fel fyse nhw'n dweud yng Nghwm Tawe. Am ryw reswm, pryd bynnag fydda'i mewn cwmni person posh Seisnig, rwy'n ymwybodol iawn o ba mor gryf yw fy acen i. Dw'i ddim erioed wedi ceisio'i chuddio, ond weithiau mae hi jest yn sticio mas fel trwyn coch yfwr wisgi.

'Yes, of course. Thank you,' medde finne, yn swnio fel y garddwr. Bant â hi i ddechrau gweiddi ordors ar y staff yn awdurdodol. Droies i at Gareth sydd yn foi hynod o hoffus a pharchus, yn gyn-brifathro a blaenor capel.

'Yffach Gar, mae hi wedi cymryd shein ato ti. Ges di gwtsh hirach na'r rest ohonon ni.'

Chwerthin wnaeth Gareth, boi da sy'n gallu cymryd jôc. Am bedwar o'r gloch roedden ni wedi gosod lan tu ôl i'r paneli derw ac yn aros yn eiddgar ar i'r drysau agor i ni gael dechrau. Roedd Mrs X wrthi'n clebran yn ei hacen posh yr ochr arall i'r drysau. Yna ychydig o glapio cwrtais ac agorodd y drysau.

Roedd hi fel golygfa allan o'r gyfres Downton Abbey. Pawb yn eistedd o amgylch ford enfawr siâp hirgrwn gyda'r hen ŵr oedd yn dathlu ei ben-blwydd ar y pen. Roedd y dynion yn gwisgo *dinner jackets* a dici bows ac roedd y menywod i gyd mewn ffrogiau drud. Roedd yr holl beth yn drewi o arian. Roedd y plant wedi cael eu danfon allan i chwarae yn yr ardd, a phawb wedi troi eu seddi i'n hwynebu ni. Meddyliais mai'r unig beth oedd ei angen i gwblhau'r olygfa oedd rhywun i ddod rownd gyda photel o bort. Yna ymddangosodd Mrs X – gyda photel o bort.

Bant â ni te. Ffidil Norman a gitâr Steve yn cyfnewid llinellau jazz Django gyda'r bysedd yn dawnsio dros arpeggios y Sipsi. Y ddau yn hen gyfarwydd gyda pherfformio mewn cyngherddau jazz ac yn gwybod sut i godi'r bar. Gareth wedyn fel y graig ar y bas a finne yn hemo cordiau major 6th ar y gitâr rhythm. Roedd e'n union beth oedd ei angen ond roeddwn i ar fin sbwylo'r perfformiad. Ar ddiwedd pob cân ac ar ôl i'r clapio cwrtais orffen roedd y gynulleidfa'n hollol ddistaw ac roedd rhaid i fi ddweud rhywbeth i lenwi'r tawelwch lletchwith. Unwaith eto roeddwn i'n ymwybodol o'r acen gref wrth i fi siarad Saesneg. Dries i esbonio ystyr geiriau Cymraeg y caneuon er mwyn cael rhywbeth i'w ddweud, ond fe drodd hynny mas i fod yn syniad gwael.

'OK, thank you, you're a lovely audience,' medde fi, yn swnio fel y boi oedd yn galw'r rhifau bingo yn 'workies' Clydach. 'That song was called "Ceiliog y Gwynt", which means "Cock of the wind".'

Sylweddolais beth oeddwn wedi'i ddweud wrth i rai o'r menywod chwerthin yn dawel ac mewn ffordd 'genteel'. Achubodd Gareth fi'n gloi.

'I think you mean weather cock.'

'Yes, that's right. Diolch Gareth, weather cock. This next song is called "Llygaid tywyll du" which is a song about a girl with very black eyes.'

Fe wnes iddi hi swnio fel petai hi wedi bod yn ymladd, druan.

'This next song is called "Bugeilio'r Gwenith Gwyn", which is about this bloke who's not really a shepherd but is in charge of collecting the white wheat because when it's white it's ready to collect. It's like a white wheat collecting song.'

'Harvesting the wheat,' medde Gareth, gan fy achub i unwaith eto.

'Diolch Gareth.'

Mae'n anhygoel pa mor niwlog mae'r meddwl yn gallu mynd yng nghanol pwysau perfformio. Es i ymlaen i balu'r twll yn ddyfnach.

'This next song is called "Ceidwad y Goleudy", which is about a bloke who looks after the lighthouse. You know, for the ships, in case they crash onto the rocks. But he's really guarding a forgotten song, like.'

Erbyn hyn roedd y gynulleidfa wedi sylweddoli bod esbonio ystyr y caneuon yn rhywbeth oedd heb ddigwydd o'r blaen ac fe ddechreuodd rhai ymuno gyda Gareth i fy helpu fi allan.

'Do you mean the Lighthouse Keeper?' medde rhyw fenyw nawddoglyd oedd yn eistedd yn y blân.

'Yes, that's it. Well done. Thankew luv.'

Ac fel yna fuodd hi. Un gân ar ôl y llall. Pawb yn gwrando'n barchus a fi'n trial rhoi esboniad o ystyr y geiriau Cymraeg rhwng pob cân ac yn gwneud cachu hwch o bethe. Roedd ceisio gwneud synnwyr o fy nghyfieithiadau gwael i wedi dod yn rhan o'r adloniant, fel rhyw fath o cwis rhwng caneuon.

Ar ôl cyrraedd y gân cyn yr olaf, fe stopion ni chwarae fel

bod Mr Evans (y gŵr oedd yn dathlu ei ben-blwydd) yn gallu gweud gair o ddiolch. Droeodd e mas i fod yn foi hyfryd. Roedd yn ddyn busnes oedd wedi symud i Sbaen i fyw. Roedd yn cofio dipyn o'i Gymraeg ac roedd wedi dwlu ar y band. Rhyddhad felly, ac yna ymlaen â ni i uchafbwynt y set, 'Y Viva España'. Ymunodd y gynulleidfa yn y gytgan ac roedd perfformiad anodd wedi troi'n brynhawn bach ok (heblaw am y cyfieithiadau). Wrth i ni bacio'r offer, daeth Mrs X draw i ddiolch i ni. Roedd hi'n hapus iawn gyda'r perfformiad ac yn enwedig ddoniau Gareth ar y gitâr fas.

'I must say, you really know how to handle that instrument,' medde dynes posh y ceffylau.

'Oh yes, I've been playing for years, see. Have you heard of Jac y Do? I used to play for them, you see.'

Roedd gan Gareth acen oedd hyd yn oed yn gryfach na'n acen i; Mynydd y Garreg pur, oedd yn amlwg yn swnio'n hudolus iawn i Mrs X.

'Really, you played with Jac y Do!'

Sai'n deall sut oedd hon wedi clywed am Jac y Do.

'I must have you back for one of my special parties.'

Cydiodd Mrs X ym mraich Gareth.

'Special party? What's the special party then?' medde Gareth, oedd nawr yn ceisio camu nôl oddi wrth Mrs X.

'Oh, I couldn't possibly say what happens in our special party. You'll have to come and find out.'

Erbyn hyn roedd Mrs X yn rhwbio braich Gareth.

'Only a few special guests come to my special parties.' A chwerthinodd Mrs X. Roedd ganddi'r chwerthiniad mwyaf brwnt glywais i erioed. 'Do you have a number I can contact you on?'

Erbyn hyn roedd Gareth wedi cael llond twll o ofn. Roedd yn camu nôl ond roedd Mrs X yn dal yn sownd yn ei fraich. A medde Gareth mewn llais uchel, 'I've got to go back to Carmarthen now. I'm picking up a Chinese for my wife on the way home you see. Goodbye now.'

Cydiodd Gareth yn ei amp a'i gitar a bant â fe fel cath i gythrel. Eisteddodd yn y car tra bod y gweddill ohonon ni yn gorffen pacio. A dyna fe. Roies i rif ffôn anghywir i Mrs X. Tynnon ni goes Gareth am fisoedd am ei ddihangfa o barti 'special' y ddynes posh a ffrisgi o Amwythig. Dysgais ddwy wers bwysig y prynhawn hwnnw. Yn gyntaf, rhaid paratoi rhywbeth i'w ddweud rhwng caneuon. Yn ail, nid yw 'posh' bob amser yn golygu parchus.

A dyna fe. Rwy wedi penderfynu cadw i fynd. Cadw i fynd ar y daith ddiddiwedd o geisio meistroli'r offeryn. Ers rhyw flwyddyn bellach rwy wedi dechrau band rockabilly o'r enw Pwdin Reis, a finne nôl yn chwarae mewn tafarnau bach lleol yn ardal Caerfyrddin. Betsan Evans, Rob Gillespie, Norman a finne yw'r aelodau ac unwaith eto mae'n bleser chwarae ac rwy'n edrych ymlaen at gigs.

Rwy'n cadw i fynd yn rhannol o ddewis, ond yn bennaf achos dw'i ddim yn gwybod beth arall i neud. Sdim pawb yn dwlu ar bwyllgor. Sdim pawb yn gallu ware golff. A sdim pawb am farcio i CBAC. Felly, mae'n well i fi sticio at hwn. Wedi'r cwbl, fe fydd gwastod lle i gitâr newydd yn y cwtsh dan stâr.

Atgofion drwy Ganeuon – y gyfres sy'n gefndir
i fiwsig ein dyddiau ni

Linda
yn adrodd straeon
SEIDR DDOE
ÔL EI DROED
PENTRE
LLANFIHANGEL
TÂN YN LLŶN
a chaneuon eraill

Ems
yn adrodd straeon
YNYS LLANDDWYN
COFIO DY WYNEB
PAPPAGIOS
Y FFORDD AC YNYS
ENLLI
a chaneuon eraill

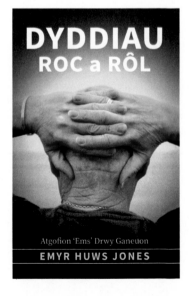

Doreen
yn adrodd straeon
RHOWCH I MI
GANU GWLAD
SGIDIAU GWAITH
FY NHAD
NANS O'R GLYN
TEIMLAD
CYNNES
a chaneuon eraill

Richard Ail Symudiad
yn adrodd straeon
Y FFORDD I
SENART
TRIP I LANDOCH
GRWFI GRWFI
CEREDIGION
MÔR A THIR
a chaneuon eraill

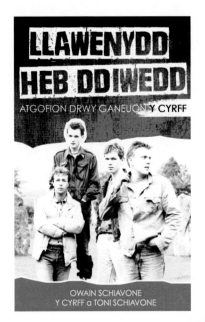

Y Cyrff
yn adrodd straeon
CYMRU LLOEGR A
LLANRWST
ANWYBYDDWCH
NI
DEFNYDDIA FI
IFANC A FFÔL
a chaneuon eraill

Geraint Davies
yn adrodd straeon
DEWCH I'R
LLYSOEDD
HEI, MISTAR URDD
UGAIN MLYNEDD
YN ÔL
CYW MELYN OLA
a chaneuon eraill

Ryland Teifi
yn adrodd straeon
NÔL
CRAIG CWMTYDU
BRETHYN GWLÂN
LILI'R NOS
MAN RHYDD
a chaneuon eraill